光

三浦しをん

JN286848

集英社文庫

光

一

海へ至る道は白く輝いている。

美浜島《みはまじま》ほどうつくしい場所はほかにない。島の外に出たことはほとんどないが、信之《のぶゆき》はそう確信している。

暗い海から届く潮騒《しおさい》や、夜の森で降り積む椿《つばき》の花。色とりどりの大漁旗をひるがえす漁船と、港に集《つど》うひとのざわめき。陽光にきらめく幾重もの澄んだ波頭。

昼も夜も、夏も冬も、島は完全な調和のただなかで海に浮かぶ。

ゆるいカーブを描く坂を下りきると、正面に小さな港が見える。嗅ぎ慣れた潮の香りを胸いっぱいに吸いこんだ。着岸を告げる定期船の汽笛に合わせ、群れ飛ぶカモメが濁った声で鳴き交わす。

長い時間をかけて波に砕かれ、砂のようになった貝殻が、アスファルトの表面を薄く覆っている。ゴム草履の下で奏でられる、かすかな摩擦音。定期船からの荷下ろしがはじまり、にわかに活気づく港を横目にしながら、信之は岬の小さな灯台を指して歩いた。

島の調和を乱すものがいるとしたら、それは輔《たすく》だ。最前から信之は、行く手にある山《やま》一《いち》商店の軒先に、輔が一人で立っていることに気づいていた。

うつむきかげんの輔は、手の甲の赤黒いかさぶたを剝《む》いている。輔にはなるべく近寄りたくなかった。視界に入れるのさえいやだ。自分まで穢《けが》れてみじめな生き物になる気がする。剝いたかさぶたを輔が口に含んだので、信之は急いで目をそらした。

ところが輔は、信之の嫌悪を感知しない。もしかしたら、感知していないふりなのかもしれない。

「どこ行くの」

と、はしゃいだ声をかけてきた。無視してそのまま進んでも足音はついてくる。

「ねえねえ、ゆき兄《にい》ちゃんってば」

「うるせえな」

輔は一瞬ひるんだようだったが、めげずに今度は並んで歩きだした。

「どこ行くの」

うるせえな、の一言であっても、返答があったからにはもう追い払われないと確信しているのだろう。信之は輔の笑顔がきらいだ。こちらの機嫌をうかがうような、怯《おび》えと媚《こ》びがあからさまに貼《は》りついている。

「一本道なんだから、聞かなくてもわかるだろ」

「なんだ、灯台かあ」

唇をとがらせ、輔はわざとらしく言った。「バンガローかと思った」

「なんでバンガローなんだよ」

「べつにぃ」

輔のこういうところに、心底いらいらさせられる。信之の弱みを握ったつもりで、得意になって反応を見ている。「ついてくんな」と怒鳴りつけてやりたかったが、我慢した。

半ズボンを穿《は》き、青いゴム草履をつっかけた輔の腿《もも》には、夜のように黒い内出血の痣《あざ》が浮いている。またベルトかなにかでぶたれたのだろう。

「それ、おじさんにやられたのか」

同情を装って残酷に指摘したら、輔は急にうろたえだした。

「こんなの全然平気だよ」

おまえは殴られ慣れてる子どもなんだよな、とほのめかされると、輔はいつだって弱気になって尻尾《しっぽ》を巻く。屈辱と怒りがないまぜになった愛想笑いを浮かべる。だったら最初から、俺より優位に立とうとなんてしなきゃいいのに。信之は蔑《さげす》み哀れむ快さを存分に味わった。

痣やかさぶたの原因について、詳しく聞くつもりは最初からなかったし、輔が痛みを感じていようといまいと、実のところどうでもよかった。輔の父親の躾《しつけ》が厳しいことは、島のだれもが知っている。輔の卑屈と卑怯を、島の子どもはみんな知っている。

わざわざ信之が怒鳴ったり殴ったりするまでもない。

満足して歩調を速めた。輔は小走りになり、黙って信之のあとをついてきた。

灯台守のじいさんはお手製の丸太のベンチに座り、今日も仕事をするでもなく煙草をふかしていた。

灯台はじいさんの定年を待たず自動化され、たまに島外から機械の点検係がやってくる。じいさんが職を解かれたあとも灯台に住みついていられるのは、じいさんのずうずうしさに対する、島民の諦めとあきれまじりのなまぬるい受容のおかげだった。

信之と輔がかたわらに立つと、じいさんは顔を上げて笑った。剝きだしになった前歯は、古い骨かと思うほど黄ばんでいる。

「色気づきやがって」

短くなった煙草を地面に投げ捨て、じいさんは灯台のなかに入っていった。輔は青々とした草を踏んで、灯台の周囲を時計回りに歩いている。たまに、白くなめらかな外壁を右手で撫《な》でたりする。「冷たくて気持ちいいよ、ゆき兄ちゃん」とおもねるように話しかけてくるが、もちろん信之は相手にしない。灯台にも輔にも背を向け、眼下に広がる海を眺めた。

美浜島は勾玉《まがたま》に似た形をしている。灯台は勾玉の尻尾のさきにあり、夜ともなれば宝の在処《ありか》を示すかのように、海原へ白い光を投げかける。

尻尾のカーブは湾を作り、美浜港として利用されている。整備が進んだ港には定期船も着岸できるようになったが、信之が小学校に上がるまえまでは、大型船は沖合に停泊するしかなかった。両親と東京へ遊びにいったとき、近所の松村《まつむら》さんの漁船で、港から沖の定期船へ送迎してもらった覚えがある。

昼下がりだからか、ほとんどの漁船が港に並んでいた。桟橋の突端に暇そうに立つ人影が見える。島のものか釣り客か、距離があるのでさすがに判別はつかない。港に面した役場も漁協も、ひとの出入りはない。港地区の家々の屋根瓦が、静かに日の光を反射するばかりだった。

信之や輔が通う小中学校は、港から山のほうへ少し坂を上ったところにある。その窓も、休日の今日はすべて閉ざされている。

島のどこからでも見える美浜山は、青空を背景に緑濃い雄大な稜線を際立たせていた。いつもどおりの、穏やかでのどかな午後だ。

美浜島には、海沿いの狭い範囲にしか平地がない。必然的に、人口も少ない。灯台守のじいさん以外の島民はみな、港地区か美浜地区、どちらかの集落に住んでいる。

勾玉の腹側にしか通っていない、海岸の一本道を目でたどる。砂浜に面した美浜地区を視界に収めた途端、信之は鼓動が速くなるのを感じた。村営バンガローは、美浜地区のはずれの森のなかだ。

「けっこう人気なんだって」

灯台の周囲をうろつくのに飽きたのか、いつのまにか輔が隣に立っていた。

「なにが」

「バンガロー」

頬に輔の視線を感じたが、信之は表情を変えず、「ふうん」と気のないそぶりで返事した。内心では、ゴールデンウィークなんて早く終わればいいと思っていた。

美浜島へは、竹芝桟橋から定期船に乗って一晩で来られる。週末ごとに釣り客が、夏には海水浴客までもが、この小さな島を訪れる。信之はこれまで、「また、外のひとが来た」ぐらいにしか思わず、観光客のことはほとんど気に留《と》めていなかったが、今年になってから少し認識が変わった。よそものに、島の秩序と静寂を乱されたくないと思うようになった。

「はいよ、お待たせ」

と、じいさんが灯台から出てきた。差しだされたコンドームの包みを、信之は小銭と引き替えに受け取った。素早くズボンのポケットにしまう。輔はそのさまをじっと見ている。

「だれかに言ったら、ぶんなぐるからな」

信之が凄《すご》むと、

「言わない」

と輔は慌てて首を振ってみせた。

灯台守のじいさんが、子どもを相手に煙草やエロ本やコンドームで小遣い稼ぎをしていることは、島の住民ならたいがい気づいているはずだ。だが、注意する大人はまずいない。いてもポーズだけだった。島の若い男の大半がじいさんの扱う品の恩恵を受けていたし、近所の目を気にせず手に入れられる娯楽は島では貴重だ。

「役場の黒川《くろかわ》さんとこの信之が、灯台で買い物してるらしい」と、噂《うわさ》されるのはかまわない。そんなのは、「あらまあ」と笑って済まされてしまう程度の話だ。問題は、灯台でなにを買ったのか、それをだれとどこで使うのか、具体的にばれることのほうだった。

輔は何回も、信之の灯台での買い物に勝手にくっついてきているが、学校でも集落でも、悪い噂はなにも立っていない。輔の口が堅いことには、信之も満足していた。

「それならいいんだ」

信之はこの日はじめて、輔に笑いかけた。「山一商店でジュース買ってやる」

輔もうれしそうに笑った。なにを黙っておけば自分の得になるかを、輔はちゃんと心得ている。

信之と輔は、港へ向けて一本道を駆け下った。目的の品を手に入れ、信之の心は浮き立っていた。

山一商店の軒先では、美花《みか》と琴実《ことみ》がペンキの剝《は》げかかった青いベンチに腰かけ、スナック菓子を食べているところだった。

「お兄ちゃん、輔ちゃん」

琴実が手を振り、尻を横にずらした。空いたスペースに輔が座る。信之は店のなかにひと声かけ、レジに代金を置いて、ガラスの冷蔵ケースから瓶コーラを一本出した。ケースの取っ手にぶらさがった栓抜きで開け、輔に手渡す。

「どこ行ってたの？」

と問う琴実に、輔は「灯台」とだけ答えてコーラを飲んだ。九歳の琴実は、「あたしも行きたかった」と無邪気に不満を表明した。

「べつに、行っても景色が見えるだけだ」

琴実よりひとつ年上なだけなのに、輔は妙に大人ぶって、誇らしげにコーラを呷《あお》る。それまで海を見ていた美花が、信之のほうへ顔を向けた。

「買えた？」

「うん」

「でも今夜は、お客さんいるからだめ」

「うん」

「明日の朝の便で帰ると思うから」

「じゃあ、明日な」

「明日」

美花に微笑《ほほえ》まれると、信之はなんだか頰が熱くなる。じらされ、いいように操られている気がして、むかむかもする。

美花はとてもきれいだ。テレビに出ている芸能人よりもきれいだと思う。釣り客から話を聞きつけたのか、一月《ひとつき》まえには芸能プロダクションの社員が、わざわざ島までスカウトに来たりもした。

その申し出は、「まだ中学生ですから」と美花の両親が断ってしまったし、美花も芸能界に特に興味はないようだった。信之は安堵《あんど》したけれど、残念にも思った。美花に遠くへ行ってほしくはないが、同じぐらい、美花をだれかに自慢したくもあった。

美花がきれいだということに、信之は長いあいだ気づきもしなかった。同い年の美花とは、お互いにオムツをしているときからの友だちだ。顔の造作についてなんて、改めて考えたりはしていなかった。

なにがきっかけで美花との関係が変わったのか、うまく説明がつかない。

年下の子たちにつきそって、なんとなく山へ椿を見にいった。美浜山には椿の谷と呼ばれる名所があり、鋭くえぐれた谷底まで、斜面がすべて椿の木で埋めつくされている。盛りの時期には、はるか下方の沢が落花で赤く染まるのが見える。

花で燃えあがる山と細い血の流れのような沢を見物した帰り、信之は美花を誘い、だれもいない冬のバンガローにもぐりこんだ。自分がなにをしたいのか、なにをするべきなのか、皮膚の裏を這《は》う熱が教えてくれた。

奥山で人知れず落ちる花の音を聞きながら、こんなにきれいだったのか、とはじめて思った。そっと髪を撫でてみると、横たわっていた美花は目を閉じたまま楽しそうに笑った。

それ以来信之は、森のなかの無人のバンガローで美花とセックスすることしか考えていない。いつなら釣り客がいないんだろうとか、美花はバンガローに行ってもいいと言ってくれるだろうかとか、そんなことばかり思っている。

美花はスナック菓子を食べ終え、スカートの膝を手で払った。ベンチから立ち、菓子袋をゴミ箱に捨てる。

「ねえ、信之。六時ごろ、うちに来てくれない」

「いいけど。なに」

「バンガローに泊まってる客に夕飯を運んでるんだけど、なんかいやな感じだから。一緒に来て」

美花は、「またね」と輔と琴実に手をひと振りし、美浜地区のほうへ歩いていった。

頼りにされているのだと思えば、額にほのかな光が当たったみたいに高揚した。

「わかった、あとで行く」

「うん。おっさん」

「一人客?」

琴実はまだ、スナック菓子の袋を抱えている。

「全部食うなよ。太るぞ」

信之が注意すると、琴実は頬をふくらませた。

「美花ちゃんはもっと食べるけど、太ってないもん」

「おまえはやめとけ。晩飯が入らなくて、母さんに叱られてもいいのか」

琴実はしぶしぶと袋を信之に預けた。信之は袋を片手に持ち、もう片方の手で妹の腕をつかんで立たせた。

「帰るけど、輔はどうする」

「まだここにいる」

輔はコーラの瓶を、ほかに座るもののいなくなったベンチに置いた。

信之と琴実は、役場の角を折れて海岸の一本道からはずれ、学校の手前にある自宅を目指した。

「輔ちゃん、痛そうだったね」

琴実が消え入りそうな声で言った。信之はしばし考え、妹の言葉が、輔の腿にできた痣や甲の生傷を指しているのだと思い当たった。

「平気だろ」

もし、輔が余計なことを言いふらしたら、あんな痣ぐらいでは済まさない。輔もちゃんとわかっているはずだ。

美花は信之を振りまわすが、信之だって輔を抑えこむことができる。いい気分だった。

琴実は夕飯の席でも、輔の痣のことを言った。

「あそこの家もいろいろあったから」

と母親はため息をついた。「信之、あんたちょっと気をつけてあげて」

信之は黙っていた。信之は輔が生まれてからずっと、それこそ本当の弟のように思い、気をつけて面倒を見てきた。輔の母親が島を出ていったときには、しばらく自室に輔を泊まらせ、さびしがって泣く輔の気をそらすことに腐心した。

だがこのごろでは、輔が鬱陶《うっとう》しくてならなかった。どこにでもついてきたがり、訳知り顔で信之の行動を嗅ぎまわる。親に殴られたから卑屈になったのか、卑屈だから親に殴られるのか、どっちがさきだかわからないが、小心なくせにずうずうしい性格を垣間見せる輔に、しょっちゅう苛《いら》つかされる。

狭い島だから限度はあるが、できるだけ輔とはかかわりあいたくなかった。

だいたい、信之が輔の面倒を見る羽目になったのも、母親に言われていやいやはじめたことだ。遠縁だからという理由だったが、美浜島ではたいていが遠縁だ。馬鹿らしくて、やっていられない。

「放《ほ》っとけ。洋一《よういち》は昔っから気が荒いんだ」

テレビを見ていた父親の一言で、会話はやんだ。ニュースを読みあげるアナウンサーの声と、波の音しかしなくなった。居間に漂う沈黙は、常識的な保身とわずかなうしろめたさとを孕《はら》んでいた。

べつに俺らが気まずさを感じる必要はないんだ、と信之は思った。飯時にふさわしくない話題に触れた妹にも、隠せばいいものを半ズボンでうろつく輔にも腹が立った。

「ごちそうさま」

と箸を置き、土間に下りてゴム草履を履く。

「どこ行くの」

「美花の家。すぐ戻る」

「お茶碗ぐらい下げなさい」

母親に注意され、土間を数歩戻って、居間の畳に手をつく。琴実がすかさず、空いた食器を渡してくれた。

もう六時を過ぎている。信之は土間の台所で食器を水に浸すと、急いで家を出た。役場の角を折れ、海辺の道を美浜地区に向かって走る。漁船の明かりがいくつか沖に浮いていた。

朝が早い漁師の家ばかりだから、道は静まり返っている。歩いて十分ほどの美浜地区に着くまでに、一度おばちゃんとすれちがっただけだった。山一商店の入口のガラス戸にも、すでにカーテンが引かれていた。

黒々とした山影が浮かびあがる。

「民宿中井《なかい》」の看板が掲げられた家に飛びこむと、美花はもう、バンガローへ運ぶ夕飯を用意して待っていた。

「悪い、遅くなった」

座敷からは、釣り客の話し声が聞こえる。民宿は満員のようだ。泊まりきれなかった客が、バンガローに押しだされたのだろう。

美花は夕飯の載った盆を持って、玄関を出た。信之も片手にポット、片手に懐中電灯をぶらさげ、美花に付き従う。砂浜を背に美浜地区を突っ切り、森へ入った。

木立の狭間《はざま》に、バンガローの明かりがひとつだけ灯《とも》っていた。信之は懐中電灯をつけ、足もとを照らした。踏み固められて自然にできた道が、森の奥へ細くのびている。

無言で進むのが気まずく、信之は話題を探した。

「高校どうすんの」

「急になに」

「なんとなく。大島？」

「まだ決めてない。でも東京にするかも。親戚いるし」

そうか、じゃあ俺もそうしようかな、と信之は思ったが、口には出さなかった。すぐ真似をすると笑われるのも、どれだけ美花を好きか知られて甘く見られるのも癪《しゃく》だった。

両親と東京見物のついでに寄った、ディズニーランドの夜のパレードを思い浮かべる。電飾の輝き。島の外のイメージはいつだって霧に沈む夢みたいだ。

「ここも東京だけど」

「一応はね」

美花は吐き捨てるように言い、四棟あるうちの、一番手前のバンガローの階段を上った。「民宿中井です」

ドアはすぐに開き、男が顔をのぞかせた。

「ああ、どうも」

三十代半ばぐらいだろうか。男は盆を受け取るついでに、美花を上から下まで眺めた。

信之は美花を半ば押しのけるようにして、ドアのまえから遠ざけた。ポットを男の足もと、ドアのすぐ内側の床に置く。

「ね？　いやな感じでしょ」

と、身軽になった帰り道に美花が言った。

「うん。死んだ魚の目っぽい感じだ」

「えー、そう？　発情したときのタロウっぽい目だよ」

タロウは輔の家で飼われていた犬だ。輔と同じぐらい、輔の父親に殴られ、いつも鎖につながれていた。

とにかく、どんよりしてるのにぎらついた目だ、と信之は思った。美花の口から出た「発情」という単語に興奮し、適当な木の幹に美花を押しつけ、いますぐペニスをねじこみたくなった。下着だけ脱がせて、そこが柔らかく湿っているのを指でちょっとたしかめてから、すぐに入れる。立ったままでも、本当にできるんだろうか。下着を脱がせるにしても、美花に交互に足を上げてもらわなければならない。悠長に待っていられそうもないんだけど、どうしよう。膝のうえぐらいまで下げて、あとは足で踏み下ろしちゃってても怒らないかな。

想像のなかの信之は、想像のなかでしか要求できないことをさんざん試す。

せめてキスぐらいしたかったが、すでに森を抜けて美浜地区へ出てしまっていた。歩きにくい状態になっていることがばれないよう、必死で波の音を数える。ゆったりしたハーフパンツを穿いていてよかったと思った。

美花が「ただいま」と言って民宿中井の玄関をくぐるのを見届け、砂浜に下りた。沖を行く船から見えないよう、岩陰に座って自慰をした。打ち寄せる波で手を洗い、やっと落ち着いて港地区まで戻る。

自宅の玄関を開けた瞬間に、立ってマスかいたらどうだろう、と思いついた。部屋からパジャマを取ってきて、風呂場で実行に移した。脚ががくがく震えるぐらいよかった。なんでもっと早く思いつかなかったんだろうと悔しかった。あれこれ工夫してみるまえに美花と寝るようになっていたから、信之は自身の快楽の在処に疎かった。

あんまり長く風呂場に籠《こ》もっていたせいで、母親が心配して声をかけてきた。しかたなく体を洗い、風呂場を出た。パジャマに着替えて部屋の襖《ふすま》を閉める。布団に入って腕をのばし、ティッシュボックスを枕もとに引き寄せる。

きっといま俺は、どんよりしてるのにぎらついた、犬のような目になってるにちがいない。

粘膜の棒からよだれみたいにだらだら汁がこぼれる。早く明日が来てくれないと身がもたない。明日の夜、美花とセックスできる夜が、待ち遠しくてたまらなかった。

朝のニュースは、為替と株の値動きや、都会の殺人事件や、地球の反対側でゆうべ起きた地震やらについて伝えていたが、信之は卵かけご飯をかきこむのに忙しい。琴実はとっくに食べ終え、玄関で待っている。「お兄ちゃん、はやく」と、じれったげにランドセルを揺すりあげる音がする。

「だからさきに行けってば」

白いズック地の肩掛け鞄《かばん》を引っつかんで、玄関へ走りでた。美花が立っていた。

「おはよ。琴実ちゃんは輔と行った」

学校への坂道に、仲良く並んで歩く二人の背中があった。

「ああ、うん」

「卵食べた？　口のまわりがカピカピしてる」

信之は人差し指の爪で、乾燥しかけた生卵を皮膚からこそげ落とした。「遅刻する」とうながした美花が、歩きながら声をひそめた。

「今夜なんだけど、無理っぽい」

「なんで」

「あのお客さん、今朝の船に乗らなかった」

「昼のヘリで大島に出るのかもしれないだろ」

美花は首を振った。

「もう一泊するんだと思う」

信之は黙っていた。なにも言う気になれなかった。

「ねえ、怒んないでよ。私のせいじゃないんだから」

「べつに怒ってない。がっかりしただけで」

「うわあ」

美花は眉をひそめた。「その言いかた、嫌味っぽくて傷つく」

それもそうだなと思ったので、「ごめん」と謝った。泊まり客の予定ぐらいちゃんと把握しておいてくれれば、余計な期待と興奮をしなくてすんだのに、と言いたい気持ちはぐっと抑えた。

校門が見えてきたので、話はひとまずそこまでになった。

島には高校がない。小学校と中学校もひとつずつあるだけで、生徒は合わせても二十人ちょっとしかいないから、校舎は共用だ。木造二階建ての古い建物は、一階が小学生の教室、二階が中学生の教室と音楽室や美術室になっている。

信之は窓の縁に肘をつき、二階の教室から校庭を見下ろした。短い休み時間にも、小学生は太陽の下に出て遊ぶ。輔が鬼ごっこの鬼になり、校庭を走って横切った。大きな笑い声を立てている。琴実は女の子の友だちと、校庭の片隅でスミレでも摘んでいるようだった。

全員の名を言うことができる。名字は黒川か中井が多い。「黒川」だけでは信之と輔を含め五人が振り向くから、教師すらも下の名前を使って呼びわける。だれもが顔見知りで、家族みたいなものだ。

それなのに信之が、美花とどう接すればいいか、なにを話せばいいか、急にわからなくなってしまったのは、中学に上がってからのような気がする。小学生のときは、低学年クラスと高学年クラスとに分けられるから、教室に机を並べるのが二人だけ、ということはなかった。

中学生は、教室が学年別だ。美花と二人きりで黒板に向かい、授業を受けるうち、信之は自分たちが地球で最後の人類の番《つがい》として、管理され実験されているような錯覚にとらわれることがあった。教師は熱心に数学の例題を証明してみせ、美花は隣の机で板書をノートに書き写す。階下の教室からは、国語の教科書を音読する声が聞こえてくる。信之だけが、「美花と俺の相性を、交尾できるかどうかを、だれかがそっと見張ってるのかもしれない」などと考えている。

中学の最初の一年間で、信之の学力は低下の一途をたどり、二年生になっても回復の兆しは見えないままだ。

どうして俺の学年は、美花と俺しかいないんだろう。いまの一年は三人いるし、せめて三年の信雅《のぶまさ》みたいに、同級生が一人もいないほうがよかった。信之は椅子に座ったまま上体を倒し、顎を窓の縁に引っかける。

「なにをダラーッとしてんだよ」

一人でいいな、とうらやんだばかりの信雅に、いきなり後頭部をはたかれた。驚いて身を起こし、教室内を振り返る。いつ出ていったのか、美花の姿はなかった。

「べつに」

とにらみつけると、信雅は美花の椅子を窓辺に引っ張ってきて、信之の隣に腰を下ろした。

「輔の怪我、見たか?」

「腿んとこだろ。あいつの親父、厳しいから」

「それだけじゃない」

と信雅は言った。「さっき便所にいったら、個室でなんかごそごそ気配がするんだ。だれか具合でも悪くしたのかと思って、『どうかしたか』って声をかけたら、体操服を着た輔が気まずそうに出てきた」

「腹でも壊したんじゃないの」

「ちがう。服を手に持ってた。あいつ、わざわざトイレで着替えてたんだよ。ピンときて、無理やり体操服をめくりあげたら、ここに」

と、信雅は脇腹のあたりを指した。「ベルトで叩《たた》かれた跡が何本もあるんだ」

信之はまた校庭を見下ろした。輔は今度は逃げるがわになって、花壇を飛び越えたところだった。

「元気そうに見えるけど」

「両手を上げさせられて殴られないかぎり、あんなとこに跡はつかない」

信雅の声は響きが硬かった。「『まさ兄ちゃん、内緒にしといてね』と輔は言ったが、俺はやっぱり、あいつの親父はフツーじゃないと思う」

「それで、どうすんの?」

「わからないから、どうしたもんかおまえに相談してる」

面倒くさい、と信之は思った。なにもかもが面倒くさい。少しでも海が荒れると定期船が寄りつけず、給食の量まで減ってしまう島。娯楽といったらテレビと灯台守のじいさんが売るエロ本とセックスしかなく、どこかで血のつながった人々とうんざりするほど面《つら》突きあわせて暮らしていくしかない島。

「どうしようもないんじゃねえの」

信之は笑った。嘲《あざけ》るような笑いだと自分でも思った。

「大人だってみんな知ってる。知ってて、なにも言わない。輔がいつか父親に殴り殺されでもしたら、さすがに駐在さんが動くんじゃないか」

信雅はしばらく黙って信之を見ていた。信之は無視して、頑《かたく》なに海のほうへ顔を向けていた。

「俺はなんだか、後悔しそうな気がするんだ」

やがて信雅は静かに言い、教室を出ていった。

俺だってそうだよ、と信之は思った。だけど知らんぷりをする以外に、どんな方法があるだろう。

海は五月の陽光にきらめいていた。遠く水平線のあたりを、大型タンカーがゆっくり北へ進んでいく。

チャイムが鳴る寸前に、美花が教室に戻ってきた。窓辺に移動した自分の椅子を見て、

「だれかいたの」

と美花は聞いた。

「まさ兄」

「ふうん」

美花は椅子を引きずった。黒板に向かって席につき、机のなかから次の時間の教科書とノートを出す。美花と同じ東京の高校へ行って、島に帰って漁協か役場に就職口を見つけ、たとえばいつか結婚したりするんだろうか。信之はふとそう考えた。うれしいようなむなしいような気持ちがした。

英語の教師が教室に入ってくるのとほぼ同時に、美花が素早く身を寄せて囁《ささや》いた。

「今夜、神社でちょっと会わない?」

信之はもう、最前までの憂鬱も苛立ちも輔のことも、すっかり忘れた。

夕飯になにが出たか、食べたばかりなのに覚えていない。風呂に入り、見たくもないテレビを見ながら、じりじりして十時半を待った。

琴実が居間の座卓で宿題をしていたので、時間つぶしに手伝ってやった。小学三年生の算数はさすがにわかる。琴実は学校での出来事をいろいろしゃべった。輔のおどけた歌声が低学年クラスまで聞こえて、みんなで笑ったとか、美花が持っている花のヘアピンがとてもかわいいとか、そんなような話だ。信之は上の空だった。

玄関の引き戸を閉め、火の元を確認し終えた母親と、琴実は九時半に部屋へ引きあげた。

「あんたも早く寝なさい」

と母親に言われ、なおざりに返事した。父親はさっきからテレビのまえで横になり、二つ折りにした座布団を枕に、軽くいびきをかいている。信之はテレビのスイッチを消し、蛍光灯の豆球だけつけたままにして居間から出た。

足音をしのばせて暗い廊下を歩き、自分の部屋に入る。四畳半には、学習机と小さな本棚と畳んだ布団ぐらいしかない。時計が十時十分を指したのを機に、信之は机の一番下の引き出しから懐中電灯と予備のゴム草履を取り、庭に面した窓を開けた。玄関の引き戸は、開閉の際に大きな音を立てる。夜に窓から抜けだすのは、もう慣れたものだった。

腰高の窓に足をかけ、庭に下りようとしたところで、

「お兄ちゃん」

と呼ばれた。隣室との境の襖が細く開き、琴実が顔を出していた。

「どこ行くの」

信之は慌てて室内に足を戻し、琴実のまえに膝をついた。

「しーっ」

妹の肩越しに隣室をうかがう。母親はすっかり寝入っているようだ。

「すぐ戻るから」

「あたしも行く」

「次は連れてってやる。今日は下見なんだ」

下見って、なんの下見だよ、と信之は自分で言っていて思ったが、琴実は納得したようにうなずいている。「静かに寝てな。いいか？」

「わかった」

琴実を隣室に押し戻し、襖を閉めた。十時半にまにあわない。信之は今度こそ庭に下

り、家屋を半周して門から通りへ出た。

出てすぐに、ぎょっとして足を止めた。通りに輔が立っていた。海のほうから月光が射し、輔の半身を冴え冴えと照らしている。輔の顔の左側は、目のあたりを中心に腫れあがっていた。

「どうしたんだ、それ」

信之は思わずそう聞いた。輔がここまで派手に、目立つところに怪我《けが》をしているのははじめてだ。

輔は笑った。左目はほとんどつぶれているのに、右目が澄んで静かなままなのが怖かった。

「どうもしない」

と輔は言った。「ゆき兄ちゃん、美花ちゃんに会うんでしょ。でもバンガローのお客さん、いつ帰ってくるかわかんないよ。うちのお父さんが船を出して、夜釣りにいったんだけど、今日は凪《な》いでて魚もよく寝てるかもしれないって言ってたから」

「バンガローになんか行かねえよ」

と信之は答え、美浜地区ではなく、学校のほうへ足を向けた。神社は学校の裏山のさらに奥、美浜山の斜面の一角にある。

「じゃあ、どこ行くの」

と、輔はついてきた。

「どこでもいいだろ。帰れ」

「おじさんが戻ったとき、家にいなかったらまた殴られるぞ」

「いやだ」

「べつに、いつものことだし」

月明かりに照らされた輔は、なんだか冷たく輝いている。あまりしつこく帰るように言うと、怒ってわめきたてそうな感じだった。信之は輔がついてくるのに任せ、とりあえず神社へ急いだ。たとえ輔がいなくても、美花は神社でセックスするのをいやがるだろう。念のためコンドームはズボンのポケットに入れてあるが、美花とただ会うだけでもよかった。昼間の教室では気詰まりなのに、夜になれば二人きりで会いたくてたまらなくなる。美花と落ちあったら、輔のことはまいてしまってもいい。

だれもいない校庭を、信之と輔は足早に横切った。砂で薄く覆われた白い地面に、二人の影が黒く長くのびた。

ふと港地区のほうを見やると、寝静まった家々の屋根に、月の光が等しく降り注いでいた。海はべた凪ぎで、鏡のように銀色に輝く。

岬のさきに、船の明かりがひとつ見えた。輔の父親の船だろうかと思い、信之は指さして教えてやろうとしたが、輔は船ではなく灯台を見ているようだった。規則性を持った一条の光が放たれる。それは浜辺を、沖に浮かんだ漁船を、岬の向こうがわを、鋭く順繰りに照らしていく。

裏山は真っ暗だった。茂みや頭上を覆う木々のあいだで、絶えず生き物の蠢《うごめ》く気配がする。虫か、蛇か、リスやネズミなどの小動物か。危険な動物は島にはいないとわかっていても、気味が悪い。懐中電灯を頼りに、慎重に斜面を上っていった。輔は信之のシャツを握りしめ、へっぴり腰で歩いている。

美花は本当に、一人で神社まで来られるんだろうか。美浜地区からも、バンガローのある森を抜け、山づたいに神社へ出る道が通じてはいる。ただ、道といっても、裏山から登るこのルートよりも細く暗いはずだ。

やっと神社の境内《けいだい》に出ると、月が明るく感じられた。苔《こけ》むした石灯籠《いしどうろう》と、崩れかけた粗末な拝殿がはっきり見える。

美花は拝殿のまえに立っていた。何十年もまえから待ちあわせをしていたみたいに、当然の顔をして立っていた。

「なんだ、輔も来たんだ」

と美花は片眉を上げたが、さしてがっかりしたふうでも、咎《とが》めるふうでもなかった。

「あんた、なんなのその顔」

拝殿の横の湧き水にハンカチを浸し、美花は輔の左目にそっと当ててやった。輔は小声で「ありがと」と言った。輔を置いてもっと山へ入ろうとは、切りだせない雰囲気だった。

信之を真ん中に、美花と輔は拝殿の賽銭箱のまえに並んで座った。正面に海がよく見えた。ずっとずっと彼方、すでに朝が訪れた遠くの国まで、見渡すことができそうだった。

「輔はいつか、あのオヤジに殺されちゃうね」

と美花が言った。淡々と、決定した事柄を語るような口ぶりだった。

「うん」

と、輔はあっさり答えた。「それなら、まだいいんだけどね」

死ぬほど殴られるより、もっと悪いことってあるんだろうか、と信之は考えた。あと数年もすれば、輔は父親に反撃できるようになる。そうしたら、死ぬほど殴り返してやればいい。陰気で偏屈で扱いづらいと近所でも嫌われている男が、顔が変形するほど輔に殴られるところを想像し、信之はひそかに笑った。

「ねえ、なにか変じゃない?」

美花がつぶやいた。「海が……」

信之と輔は、美花の指すほうへつられて顔を向けた。

海が低く鳴っていた。沖合に横一直線に白い筋が見えた。それは最初、水平線を渡っていく細いウミヘビのようだったが、あっというまに厚みを増して迫り、岬から湾へ入ったと思った途端、ゆっくりと大きく鎌首をもたげた。

「津波だ」

と単語は信之の口から出たが、起こっていることの意味を頭では理解できていなかった。岬の灯台が発した警報音はすぐ消えた。風に煽《あお》られたシーツみたいに、波は優雅にひるがえり、なにもかもを包み薙《な》ぎ倒《たお》す寸前に一瞬、静止したようだった。目前に迫った波の頂点に、車よりも大きな岩が乗っていた。そんな冗談のような光景を信之は見た。

美花と輔の手を咄嗟《とっさ》につかみ、物も言わずに拝殿の裏手の斜面を駆けあがる。どっと逆巻きすべてが飲みつくされていく音は、少し遅れて脳に達した。


「ほら、全部なくなった。ほら、ほら見てよ!」

甲高い声で輔が言っていることの意味が、信之にはしばらくわからなかった。

信之と美花と輔は、斜面に生えた木々のあいだに立っていた。拝殿の屋根より、少し高いぐらいの位置だ。

眼下に広がる光景を、信之は呆然《ぼうぜん》と見た。大きな波は信之から奪った言葉とともに、瞬く間に海のほうへ引いていった。

境内の真ん中に、濡れて黒光りする岩が置き去りにされている。周囲には木っ端《こっぱ》と長い黒髪のような海藻が散乱し、そのあいだで銀色に跳ねる光がいくつもあると思ったら、それは月に照らされた魚の腹なのだった。

そのさきは無だ。真っ暗な闇が広がるばかりだ。

境内から集落につづく斜面も、海岸沿いにあったはずの集落も、黒々と塗りつぶされている。明かりはひとつ残らず消えた。青白い月光が巨大な暗黒に絶え間なく降り注ぎ、そこに無が出現したことを教える。動くものも、音を立てるものも、なにもない。

足もとがぐらつく。地震ではないかと梢《こずえ》を見上げたが、枝は揺れていない。信之が震えているだけだ。全力で走ったせいか、すっぽりと言葉の抜けた頭のなかを吹く風のせいか、凍えたように体が震える。つないだ美花の手も、信之と同じく冷えていた。もう片方の手でつながった輔の掌は、逆に熱を宿して湿っている。

輔は信之の手を振りほどき、跳ねまわりながら吼《ほ》えた。

「こうなると思ってたんだよ。こうなればいいと思ってた。俺がお願いしたとおりに津波が来てそんでみんな死んだ！　すげえよ、みんな死んだよ絶対死んだよね。ね、そうでしょ、ゆき兄！」

耳障りな笑い声を上げる。殴りつけて黙らせてやろうと信之は一歩踏みだし、つないだままの美花の手に引っ張られた。美花は「死んだ」という言葉で蘇《よみがえ》ったみたいに、首をめぐらせて信之を見た。

「お母さんに知らせなきゃ」

美花は西の方角、美浜地区を目指し斜面を下りようとする。

信之は美花の手を強く握った。今度は西の海に、白い線が生じていた。正面の南の海の沖にも、また一筋。

破壊の波は、まだ終わったわけではなかった。

「だめだ」

と、ようやく信之は声を絞りだした。「いま下りちゃだめだ」

美花をうながし、信之は再び斜面を上りはじめた。

「輔も来い」

散歩に誘われた犬のように、輔は軽快な足取りで信之についてきた。美花は絶叫し、信之の手に空いた手で爪を立てた。「離して」「お母さん、逃げて」と叫びたいのだろうが、もはや言葉の形を成していない。獣じみた熱の塊を喉から迸《ほとばし》らせているだけだ。

信之は美花を半ば羽交い締めにし、力任せに引きずった。

美花の声はすぐに、襲いかかってきた怒濤《どとう》にかき消された。美浜地区のほうから、正面の港のほうから、ほとんど同時に二回目の津波が島を飲みつくしていった。ぶつかりあった波は一度目よりもさらに高く激しく、森の木は海水を葉に受けてばらばらと鳴り、飛沫《しぶき》が頭に降りかかった。

轟音《ごうおん》が去って振り返ったときには、拝殿だったらしき木片がひとかたまりになって、境内の端でつぶれていた。石灯籠はどこにも見あたらない。大岩が境内のさきの斜面の中腹で、折り重なった木にせき止められて転がっていた。

信之はその場に腰を下ろした。湿った土がすぐに尻を冷やしていくが、もう立っていられない。信之の腕をぶらさげているのに疲れたのか、美花も隣に座った。輔はしばらくそこいらを歩き、木立の隙間から暗い集落を見透かそうとしていたが、やがて諦めたのか、信之と美花のそばに戻ってきた。

「俺たちだけだよ。美浜島で生き残ったのは、俺たちだけ」

輔は誇らしげに報告した。光源は月しかないので、表情はよくわからない。でも笑っているようだ。

「黙ってよ！」

美花が涙声で怒鳴った。懐中電灯をどうしただろう、と信之は思った。逃げるときに落としてしまったらしい。

森でうずくまるしかない三人は、夜のただなかにいた。月が少しずつ、作る影の角度を変えていく。三人のいるあたりを境にして、斜面のうえのほうでは生き物の気配がする。異変を察知した鳥が、暗闇で鋭く鳴き交わし羽ばたいている。森全体がざわめき揺れている。しかし足もとのほうは静まりかえり、もとどおり穏やかになった波の打ち寄せる音が響くばかりだ。

「ねえ、ゆき兄。気づいてた？」

輔は無邪気に話しかけてくる。崩れた土手からあふれだす泥水のように、話しつづける。

「今朝のニュースで、チリで地震があったって言ってたでしょ。絶対に津波が来るって、俺は一日じゅう楽しみにしてた。ゆき兄には教えてあげるつもりだったんだよ。だから待ってた。もしゆき兄が出てこなくても、そっと呼んであげようと思って待ってたんだ。ほんとに来たんだね。俺の望みどおりに、全部ぶっ壊して流していっちゃった」

楽しそうに口のなかで笑い、輔は小さく体を揺すった。信之の腕に、輔の腕が当たっては離れた。

輔を突き飛ばしたい気持ちを、信之は必死でこらえた。津波の原因が地球の反対側で起きた地震にあるのなら、もっと早くに警報や避難勧告が出ていたはずだ。自分の力で津波を島に引き寄せたと言わんばかりの輔は馬鹿だ。

だが、もし本当に、この津波がチリの地震のせいだとしたら、津波が来るとわかって黙っていた輔は殺人者だ。島が壊れて夜の海に沈んだ原因は輔だ。おまえこそ死んじまえばいい。いますぐ死ね。

見て見ぬふりをしたおまえは罰せられるべき咎人《とがびと》だ。

「どうしよう。どうしたらいいの」

美花がつぶやいた。

母さんや父さんや琴実はどうなっただろう。すぐ戻ると琴実に言ったのに。信之は嗚《お》咽《えつ》を漏らしそうになって、急いで唇を嚙《か》んだ。津波に飲まれたと考えるのはまだ早い。そうそう輔なんかの思いどおりになるわけがない。

こう暗くてはなにも見えないし、またいつ津波が来るかわからないから、いまは危ない。朝になったら、集落に下りよう。案外、停電しただけで、家屋もそこにいた人々も無事なんじゃないか。「どこに行ってたの、心配させて」と母親にこっぴどく叱られ、「お兄ちゃん、一人で遊びにいってずるい」と琴実に拗《す》ねられ、あとはもういつもどおりだ。朝飯を食べて学校へ行く。

美花の手をまだ握ったまま、信之はそんなことを想像した。こわくて動けなかった。闇と静寂に覆われた島も、もう泣きもせず美浜地区のほうを見据えて身じろがない美花も、壊れた機械みたいに笑いながらしゃべりつづける輔も、信之はこわくてたまらなかった。

なによりこわかったのは、いずれ訪れる朝の光だ。真実が眼前に明らかになる瞬間が、少しでも遠ければいいと思った。

集落になど下りたくなかった。いまこの瞬間に助けを求めるひとがいるかもしれないことを、考えたくなかった。起きた出来事がなんなのか知りたくなかったし、うかうかと集落に下り、津波に飲まれて死にたくなかった。

こわくて動けなかったのではない。信之はこわくて動かなかった。

光がすべての暴力を露《あら》わにした。

夜を越えた美浜島は、新しい姿に生まれ変わっていた。

えぐられた山から流れた土砂と木で、集落は厚く覆われている。家屋は倒壊し、家としての名残《なごり》をとどめているのはまだましで、ほとんどが木片となって散らばっている。無数の残骸の浮いた港が、その機能を失っていることは遠目にもわかる。

信之は境内に立ちすくみ、ひとが生活していた気配すら流れ去った廃墟を眺めた。学校と灯台だけが、かろうじてもとの形のまま建っている。境内では波に運ばれた魚が生気を失い早くも腐敗しはじめ、かわりに集落のあった場所では、散乱した屋根瓦が朝日を弾いて輝いていた。

美花は黙ったまま、神社から学校の裏手に出る山道を下りはじめた。そのころにはしゃべりやんでいた輔が、あとにつづく。信之はなにも考えられなかった。一人で神社に取り残されるのがいやで、集落への道をたどった。

「西村《にしむら》のおばちゃんだ」

輔が指さした。学校の裏山の斜面で、泥まみれのパジャマを着た中年の女が死んでいた。側頭部が陥没し、ズボンと下着は波にさらわれたのか、下半身は剝きだしだ。体を丸めるようにして、横向きに倒れている。肘を折り、両腕で顔をかばう恰好《かっこう》だった。

三人は足を止め、しばらく死体を眺めたが、近寄ることはせず、そのまま斜面を下りきって校庭へ出た。校庭は湿って土が黒くなり、あちこちに水たまりができていた。潮水に映った空は澄んで青い。校舎の一階の窓ガラスはすべて割れ、教室内に泥が流れこんでいる。

津波に気づき、学校まで避難したひとがいるかもしれない。信之は一縷《いちる》の望みを抱いていたが、校舎の窓から顔を出すものはいなかった。

校庭から道へつづくコンクリート製の階段の下では、軽トラックが横転していた。それを避けて、泥のなかへ降り立つ。泥は深いところでは膝まであった。

港地区はすっかり見通しがよくなっていた。信之の家も、輔の家もない。残ったのは木造ではなかった役場と漁協だけだ。どちらも窓ガラスはなく、三階建てのてっぺんからくまなく外壁が濡れている。

港と海がやけに近くに見える。

集落はこんなに小さかっただろうか。信之は泥に足を取られよろめきながら、自分の家があった場所に歩いていった。ブロックを積みあげた門柱だけが、そこにひとが住んでいたことを知らしめる目印だった。海に引っ張られたように、家はぺしゃんこにつぶれていた。瓦がほとんど流れた屋根が、地面に伏している。

「琴実」

呼んでみたが、返事はない。「お父さん、お母さん」

信之はぬかるんだ庭、庭だった土地に踏み入った。どかせるわけもないのに、屋根に手をかける。足がすべり、膝をついた。崩壊した家の隙間という隙間に、泥がなだれこんでいる。

そうか、死んだのか。

頭では思うのだが、実感がない。集落の人々が死んだのではなく、自分が死んだのではないかという気がした。

「ゆき兄の家、けっこう残ってるね」

と、背後で輔が言った。「俺んちなんかボロかったから、なんにもなかったよ」

美花は遮蔽物《しゃへいぶつ》のなくなった港地区を横切り、海岸沿いに美浜地区へ歩いていく。信之は立ちあがり、美花を追った。輔もついてきた。べちゃべちゃと泥を踏みながら、三人は進んだ。ゴム草履が脱げそうだったが、裸足にはなりたくなかった。いたるところにガラスや裂けた木片や食器や冷蔵庫が散らかっている。港に係留されていた漁船や、空き地に停められていたはずの車が、集落のあちこちに乗りあげ、ひっくりかえっている。

なによりも、泥でできた人形みたいになった死体が、脈絡もなく転がっていた。同じ泥に足をつけたくない。履いているのはどうせゴム草履で、足の大部分は露出していたが、それでも信之は必死になって足の親指と人差し指に力をこめ、鼻緒を挟んでいた。おかしいな、と自分でも思った。死体はなるべく視界に入れないようにした。死体だともちゃんと認識できなかった。薄茶色の硬直したものとしか思えない。そこいらじゅうに転がる木や戸棚と同じだ。

しかしそれも、美浜地区に入るまでのことだった。

どういう潮流のかげんか、美浜地区の砂浜には、死体がたくさん流れついていた。西村のおばちゃんと似たポーズで死んでいる。衣服が脱げかかっていたり、全裸のひとも多かった。全身に打撲や擦過傷、一目で致命傷とわかる大きな損傷がある死体がほとんどだ。

津波で死ぬって、溺死《できし》じゃないんだ。信之は頭の片隅で、そんなことを思った。溺《おぼ》れるよりもさきに、すさまじいエネルギーに撃たれ、渦巻く波のなかで流木やらなんやらに体をめちゃくちゃにされて終わるものなんだ。

苦しみや痛みは、溺れ死ぬのと変わらないのだろうか。それとも、眠っているあいだのあっというまのことで、死んだことにも気づかないうちに死んだのだろうか。

美花は民宿中井があったと思《おぼ》しき場所へ行き、そこになにもないことを知ったのか、浜辺に戻ってきた。砂浜に打ちあげられた死体を引き起こし、覗《のぞ》きこみ、ひとつひとつ顔を確認しはじめる。

信之も手伝った。五人ほどの顔を見てから、美花はなにをたしかめているのかなと考えた。どのひとも、見知った島の住人だ。ずいぶん形相が変わっているものもあったが、生まれたときから馴染《なじ》んだひとだから、だれなのかわかる。死んでいる。それ以外にいったいなにを確認すればいいのか、信之にはよくわからなかった。

「いない、いない」

と美花がつぶやくのを聞いて、美花の家族を探せばいいのかと思い当たる。その途端、信之は死体の肩を支えそこねた。死体はまた砂浜に転がった。

このなかに、俺の父親や母親や妹がいるかもしれない。

急に死体に触れる気が失せた。信之は砂浜から出ていきたかったが、美花と輔はかがんで熱心に作業しつづける。

「あっ、まさ兄だ！」

輔が小さく叫び、信之を手招いた。美花は立って、輔と輔の足もとに横たわる死体に駆けよった。信之もしかたなく、そちらへ近づいていった。

信雅の死に顔はきれいだった。頰に白い砂がついていたが、美花が指先で払うと、すぐにむっくりと起きあがりそうに見えた。まだ寝ておらず勉強でもしていたところだったのか、灰色のTシャツにジーンズを着た姿だ。

信之は硬くなった信雅を見下ろす。どうしてだれもが、両腕で顔を覆うような恰好なんだろう。突然に窓が割れ、なだれこむ海水に押し流されていく信雅を想像する。暗い暗い海の底に引きこまれ、いままたこうして島に戻ってきた信雅。喉についた細かい傷は、苦しさに自分でかきむしったもののようだった。

上下も左右もわからぬまま、肺を水でいっぱいにしていく。猛スピードで迫りくる岩や丸太を、信雅はきっと海中で目にした。

反射的に衝突を避けようとして腕をかざすから、こんな恰好になるのか。

信之はそう納得した。輔は信雅の腕を、力ずくで体側《たいそく》に引き下ろそうとしている。

「なにしてんだよ、やめろ!」

信之が声を荒らげると、輔は不思議そうに、立ったままの信之を見上げてきた。

「なんで?　こんなポーズじゃ変じゃない」

「馬鹿!」

信之は輔の肩をつかみ、信雅から引きはがして砂浜に転がした。「信雅の骨が折れるだろ。そっとしとけ」

「死んでんだから、折れても痛くないよ」

輔は不満げな表情で身を起こした。「それより、変なかっこで死んでるほうがいやだ」

信之はとうとう耐えきれなくなって、輔の頬を張りとばした。

「信雅は昨日だって、おまえのこと心配してたんだぞ！　おまえなんかのこと心配すんの、信雅だけじゃないか！　それなのにどうして、おまえはそうなんだ！」

「なんでぶつんだよ！」

悲鳴のような声で怒鳴りかえした輔の目から、みるみるうちに涙があふれた。「俺、まさ兄が死んじゃってるから、腕を下ろしてあげようとしただけなのに、なんでゆき兄、俺をぶつの！　ゆき兄も津波で死んじゃえばよかった！　ゆき兄なんか助けてあげなきゃよかったよ！」

「俺がいつ、おまえに助けられたんだ、ふざけんな！」

急に美花が叫んだ。あまりにも高く長く尾を引く声だったので、叫びは「アーッ」とも「ヒーッ」ともつかない音と化していた。信之は美花が狂ったかと思った。輔もびっくりして美花を見ている。

「もういい！」

叫び終わると、美花は言った。「もういい、あんたたち黙って！」

美花は涙をぬぐい、砂浜から出て港地区のほうへ戻っていった。信之と輔もあとにつづいた。

「どこ行くんだ、美花」

「どこにも行けないじゃない。そうでしょ？」

泣いているようにも笑っているようにも見える顔で、美花は歩く。「みんな死んじゃって、こんな島で食料も泥のなかで、私たちどうするの？　ねえ、どうするの？　助けを呼ばなきゃ。そうじゃないの？」

「灯台！」

輔がぴょこりと跳ねた。「灯台なら無線があるし、もしかしたら灯台守のじいさんは生きてるかも！」

島に大人が生き残っているという仮定は、信之に力を与えた。エロ本やコンドームを売りつける老人でも、この状況ではいないよりましだ。

三人は足早に港を通りすぎた。港は土砂で濁っていた。漁船がひっくりかえって底を見せ、オイルが浮遊物のあいだを浸食していく。

「黙ってたのに」

隣を歩く輔が、美花には聞こえないように信之に囁きかけてきた。なんのことだと信之は思い、さきほどの会話のつづきだと気づいた。輔の頬は一晩のうちにこけ、目は鋭い輝きを宿していた。

「ゆき兄と美花ちゃんのこと、俺はずっと、だれにも言わないであげたじゃないか」

俺が命拾いしたのは、そのおかげだとでも言いたいのか。勝手にしろ。信之は輔を無視した。

岬に通じる坂道を上りかけたところで、灯台のほうから下りてくる人影が見えた。太陽を背にしていて、顔まではわからないが、三人の男だ。信之たちは駆けだした。

「おーい、おーい！」

生きた、大人だ。喜びと安堵がこみあげて両手を振ると、向こうも走ってきた。美花と輔が、ふいに立ち止まる。どうしたんだよ、と信之は聞こうとして、その理由を察した。

坂を下りて走ってくるのは、灯台守のじいさんと、美花をじろじろ眺めていたバンガローの客と、輔の父親の洋一だった。

大人たちは、「無事だったのか。よかった。よかった」と口々に言い、信之と美花と輔の体を抱きしめたり撫でたりして、怪我がないかをたしかめた。

バンガローの客は山中《やまなか》と名乗った。ゆうべは夜釣りをしに、洋一の船で沖へ出ていて難を逃れたのだそうだ。

「船では一瞬衝撃があったぐらいで、津波にはまったく気づかなかったんだ」

と、山中は興奮気味に言った。「島を見たら、黒い大波が集落にかぶさるところだった。これは大変だと、黒川さんとライトで海を照らして」

「流されたひとを掬《すく》いあげようと思ったんだが、だれもいなかった」

と、洋一は悔しそうに言った。「木や靴や家電なんかが浮かんでくるばかりで。すぐに無線で救援を要請して、夜じゅう少しずつ場所を移して海面を見ていたが、駄目だった」

それで夜明け前に、洋一は漁船を岬の岩壁近くにつけ、山中とともに崖をのぼり岬の森を越えて、集落に下りてきたところだという。港には船を入れられなかった。浮遊物が多すぎることもあったが、なにより、土砂のせいで船底をこするほど海が浅くなってしまっていたからだ。

「港を改修するまえよりも悪い。大型船が入れないから、こりゃあ救助にも復旧にも時間がかかるぞ」

そう言った灯台守のじいさんは、港地区のあまりの変わりようを目にし、「ひゃあ」と小さく叫んでしゃがみこんでしまった。

「なんてこった、なんてこった」

救助も復旧も無意味だということが、ようやくわかったのだろう。

「しっかりしろ、じいさん」

洋一は力づけるように、じいさんの肩を抱いた。「ちょっと休んだほうがいいな」

灯台に戻る、とじいさんが言ったので、一行は岬の坂道を上がった。山中がじいさんを支え、歩くのを助けた。

「灯台の無線は水びたしだ」

と、洋一は信之たちに向かって説明した。「じいさんが津波に気づいたときには、もう遅かった。警報を鳴らしたそうだが、すぐに灯台ごと波に直撃されて、明かりも消えてしまったらしい。じいさんはなかの手すりに必死にしがみついて、滝みたいに降りそそぐ海水に耐えた」

そう言われてみれば、灯台守のじいさんは全身から潮のにおいを放っていた。ここにいるものはみな、昨夜から一睡もしていない。信之ははじめて疲労を感じ、重くなった腿をなんとか持ちあげて前進した。

灯台の窓ガラスも割れ、夜の海に光を投げかけていた巨大レンズは、床に砕け落ちていた。この筒のような建造物のなかで、じいさんが生きのびられたのは奇跡に近い。

じいさんが寝起きするための小屋は灯台のそばに残っていたが、内部を海水にかきまわされつくしていた。丸太のベンチはどこかに消えた。じいさんは濡れた草のうえに腰を下ろし、もう一度「ひゃあ」とうめいた。岬で一人震えていたときには、土色の残骸がすべてのものの死を意味すると実感できていなかったのだろう。改めて高台から見下ろせば、港地区も美浜地区も全滅したのが明らかだった。

報道のヘリが何機も、美浜島の上空を飛び交いはじめた。大島のほうから、海上保安庁の船が白い波を作りながら近づいてくる。

全部無駄だ。手遅れだ。みんな死に、どこかへ流されていった。ここにいるもの以外は。

信之は輔を見た。輔は最前から青ざめ、一言もしゃべらない。

「よかったな、輔。親父さんが生きてて」

輔の顔は無表情を超えて弛緩《しかん》した。信之は昏《くら》い喜びを覚えた。ざまあみろ。おまえの「お願い」なんかだれが聞く。だれも聞きやしない。みんな死んで、おまえが一番死んでほしかったやつは生きのびた。ざまあみろ。

絶望した人間の顔はずいぶんだらしない。信之は輔をたっぷりと眺め、それから気がつく。美花も洋一も灯台守のじいさんも山中も、同じ顔をしていた。弛緩したまま、筋肉が動かない顔。

じゃあ、俺もか。俺もいま、そういう顔をしているのか。信之は晴れた空を見上げた。

自衛隊の大型輸送ヘリが旋回し、ぬかるんだ校庭に着陸しようとしていた。

子どもだけでも、大島か本土へ避難させよう。休息が必要だ。やってきた自衛官と生き残った島の大人のあいだで話は決められてしまいそうだったが、信之たちは拒否した。親の行方がわかるまでは、島を離れたくない。美花はそう主張し、信之も美花と一緒にいたかったから、それに同意した。輔は黙ったままだった。

砂浜の死体のありさまを見て、大人は渋ったが、結局「数日なら」と譲歩せざるをえなかった。住民の捜索には、島の地形や集落のことを知っている人間が、一人でも多く必要だ。沖に停泊した大型船から小船に乗って、輸送ヘリを頻繁に校庭に離着陸させて、人員も重機も少しずつ島に上陸するしかなかった。そのあいだにも、死体は腐っていく。効率よく、生存者がいるわずかな希望に賭《か》けて、倒壊した家屋と泥に埋もれたものを掘り起こさなければならない。

信之たちは手分けして、島の地図を持った自衛官と歩きまわった。

「ここが俺の家です」

と言うと、自衛官は無言で信之の肩に手を載せた。ほかの家と同じく、生きた人間がいるとは思えなかったのだろう。

発電機が作動し、港地区と美浜地区に巨大なライトが設置されたところで、一日目の作業は終わった。運びこまれた重機は稼動できる状態になり、砂浜や集落に転がっていた死体はシートにくるまれ学校へ運ばれていったが、家屋の下からすべての死体が掘りだされるのは、いったいいつになるのか見当もつかなかった。海に流されたひとたちが発見される日が来るのかどうかは、なおさらわからない。

美浜地区から戻った美花と合流し、信之と輔は学校へ向かった。そこがその夜のねぐらだった。自衛官も海上保安庁の人間も、言葉少なに歩いている。

報道ヘリの轟音が山の彼方へ遠ざかり、日暮れとともに島に波の音が戻った。

「津波は」

と美花が口を開く。「この近くの海で起こった地震のせいなんだって」

信之はちらっと輔を見た。輔はさらに打ちのめされたように、地面に視線を落としていた。

「地震があったなんて、私たちちっとも気づかなかったね」

「きっと、神社に向かって斜面を上ってたからだよ。じっとしてたひとのなかには、地震に気づいて逃げたひともいるかもしれない」

山に登ったり、船に乗って沖へ出たりして。信之は言った。そんなことはありえない。もし逃げのびたなら、もう集落に戻ってきているはずだ。だが、そうだったらいいと願わずにはいられなかった。

美花は首を振った。

「地震発生から五分もしないうちに、大津波が美浜島に来た。私たち以外はみんな、みんな……」

信之は美花の手を握った。受け入れがたい大量の死を目にしてはじめて、心の底から美花を愛おしいと感じた。津波が島を襲うまえから、美花は信之のものだった。信之だけの女だ。美浜島に生まれ育ち、だれもいなくなった美浜島に再び人間を増やせるのは、信之と美花だけだ。

ぞっとするほど興奮する想像だった。島のこれまでも、これからも、すべてが信之と美花のつないだ手のなかにある。

校庭にはテントがいくつも張ってあり、炊き出しの準備もできていた。信之は配られたおにぎりとあたたかいみそ汁を口にした。一日じゅうなにも食べていなかったというのに、胃は動かず飯粒がいつまでも腹の底でざらついていた。

校舎は倒壊の危険がないと判断され、島のものは教室で、救援要員はテントで眠ることになった。

死体が並べられている一階の教室は、黒い穴と化して静まり返っている。寝袋をもらい、海水の被害を受けなかった二階の教室へ上がる。ひとつの教室で、固まって寝ることにした。信之は美花の隣に寝袋を広げた。山中はあぐらをかき、コンパクトカメラをいじっている。

「撮ったんですか」

信之が咎めると、

「まさか」

と機嫌を取るような粘ついた声音で言い、山中はそれをポケットにしまった。「たまたま昨夜持ち歩いていただけで、いままで忘れてたよ。フィルムも残り一、二枚ってところだし」

その一、二枚で、とっておきの惨状を記録しようと思ってるんじゃないのか。信之は顔をそむけた。

「そういえば、どうしておまえたちは助かったんだ」

と、洋一が言った。「どこにいた？」

信之の心臓は激しく鼓動した。輔は黙ったまま、信之の隣で寝袋にもぐりこんだ。信之と美花も返事をしなかった。洋一が苛立たしげに舌打ちする。山中がうっすら笑って美花を見た。美花は山中とは視線を合わせようとしない。

「さっき、これを見つけたんですよ」

山中は酒瓶を掲げてみせた。「なかも無事だと思うけど、どうです黒川さん」

「いいですね」

洋一は機嫌を直し、酒瓶の封を率先して開けた。すでに横になっていた灯台守のじいさんが、寝袋に入ったまま身を起こして床に座る。午前中には情けなく震えていたくせに、もうチャックを開けて両腕を外に出している。

きっと山一商店の品だ。泥棒じゃないか。信之はそう言いたかったが、目を閉じた。神経はささくれだったままでも、体の疲れは限界に達していた。

酒瓶をまわしながら、大人たちが小声で低く今後について話しあう声がつづく。学校の裏山で、西村のおばちゃんが死んでいたんだっけ。まあいい。いつかだれかが発見する。余計なことを言って、昨夜どこでなにをしていたかばれたら困る。その思考を最後に、信之は意識を手放した。

生臭い潮のにおいと、甘いようでいて嗅ぐと吐き気を催す腐臭が、美浜島の沿岸部にたぐまっている。

津波が来て二回目の朝は、大型の重機がうなる音とともにはじまった。倒壊した家屋の屋根や梁《はり》を慎重に吊りあげる。あとはひとの手で、根気よく家具をどけ泥を掘り起こしていく。表向きは生存者を探すのが第一の目的だから、ブルドーザーで木っ端を一気に片づけるわけにもいかない。

俺たちの目がなかったら、作業はもっと速く楽に進められたんだろうなと、信之は皮肉な考えにふけった。だが、それを表情に出すだけの気力がない。自衛官が黙々と立ち働くさまを、青いベンチに腰かけて眺める。山一商店のベンチだ。海に流されるのをまぬがれたベンチは、泥にまみれて美浜地区に転がっていた。信之と輔がベンチを起こして乾いた泥を指でこすると、それは古い皮膚のようにはらはらと剝落《はくらく》し、もとの姿を取り戻した。

港地区では、どうやって助かったものか野良犬が一匹、残骸のなかをさまよっている。たまに鳴くが、それではと瓦礫《がれき》の下に呼びかけてもなにも反応はない。港の近くでひなたぼっこをしていた猫の姿も、一匹も見あたらない。いまごろみんな、海の底か泥のなかで眠っている。

重機を使った港地区の捜索は、午後から開始される予定だった。いまは港の復旧作業が進められている。その一点だけをもってしても、生存者のいる可能性が限りなくゼロに近いと目されていることがわかる。信之は諦めていたので特に文句も言わず、輔と一緒に美浜地区での作業を朝から見物した。

美花は民宿中井の柱やら戸棚やらが泥のなかから現れるのを、近くに立って見守っている。山中はなぜか美花の隣に陣取り、気づかわしげに美花をうかがったり、肩を抱かんばかりに顔を寄せてなにか囁きかけたりしている。エロオヤジ、と信之は内心で吐き捨てる。

朝一番でヘリコプターに乗って美浜島から去ることもできたのに、「もう一日、ここにいます」と山中は言った。

「どうせ休暇は明日までの予定だったし、バンガローに置いてあった荷物も、探せるものなら探したいですしね」

そんなのは口実だ。森のなかのバンガローなど、どこにあったのかもわからないほど粉々に壊れているだろう。山中はただ、うつくしい美花のそばに、少しでも長くいられるチャンスだと踏んだだけだ。信之も美花も、家と家族を失い一人ぼっちになったというのに、山中にしてみれば破壊と死も休暇を彩る刺激的な単なる出来事だ。美花にくっついて離れない山中を、ベンチから眺めて信之は嘲笑《あざわら》う。美花は時折、肩越しに振り返って信之に目くばせする。このひと鬱陶しい。山中に気づかれないように、美花は顔をしかめてみせる。その唇は山中への蔑みに歪《ゆが》んで、酷薄な笑いを象《かたど》る。

わかってるよ、美花。信之も笑い返す。わかってる。そいつは島の人間じゃない。どうせすぐにいなくなる。ちょっとのあいだ我慢して、適当につきあってやるしかない。俺たちはなにもかもを失ったかわいそうな子どもなんだから。

輔は黙りこくったまま、ベンチの座面に両足を上げ、膝を抱えて体を丸めている。すんと鼻を鳴らすのは、日が高くなるにつれ濃くなる腐臭を払い落としたいからだろう。

作業のつづく一角でざわめきが起き、

「信之、来て」

と美花が呼んだ。信之はすぐに立って、美花のもとに走った。輔もついてくる。美花は山中の手を振り払うようにして、信之の肩に額を載せた。

重なり伏した洋服簞笥《だんす》と襖が、ちょうど取りのけられたところだった。黒い煙かと見まごうほどに蠅《はえ》が舞う。茶色い泥人形のようになった死体が二つ、半ば埋もれて横たわっている。

「ご両親ですか」

と作業にあたっていた自衛官に声をかけられ、美花は顔を上げた。かろうじて判別できるパジャマの柄を確認したのだろう。また信之の肩に額を押し当て、うなずいた。

薄手の寝袋のような、防水加工をされたカーキ色の袋に入れられ、死体は学校へ運ばれていった。美花は震えている。泣いているのか、信之のシャツの肩口が柔らかく湿っていく。ずいぶん汚れているし、汗くさくないだろうか、と信之は気になった。

山中が信之と美花を見ている。信之は山中を見据えたまま、美花の背を撫でた。少し笑っていたかもしれない。山中は視線をそらした。なにごともなかったかのように、

「バンガローにはいつごろ行くことができますかねえ」

などと居合わせた自衛官に聞いている。

美浜地区のあちこちで、島民の死体が見つかりはじめた。

輔は動くものならなんにでもついて歩く雛《ひな》のように、死体袋の列を追って学校へ向かっていった。もうすぐ昼だ。信之も美花をうながし、美浜地区をあとにした。美花はもう涙をぬぐい、なにか考えこんでいるようだった。

昼食にまたおにぎりが配られたが、校庭に集っただれもかれもが食欲のない様子で、

少しかじっては缶入りの水を飲むだけだ。校舎の一階に収容された死体からも、海岸からも、においが押し寄せてくる気がする。いまや島全体が腐臭に覆われようとしていた。

港での作業に立ち会っていた洋一は、

「こりゃダメだな」

とぽつりと言って水を呷った。「島を捨てるしかない」

それも当然だろうと信之は思った。死体しかない島に、生き残ったのが数人では、なにもできることはない。島外の親戚に声をかければ、葬式ぐらいは出してもらえるかもしれない。だが、島を出ていったひとは外の世界でそれぞれの生活を営んでいる。壊滅した集落をもとどおりにしてやろうというものなどいないだろう。

いまはつてを頼って島から離れるほかに、信之が生きていく術《すべ》はなさそうだった。いつか帰ってくればいい。美花と一緒に。大人になって力をつけて、二人で島の歴史をまたはじめればいい。

どうせ高校進学を機に島を出るはずだった。島の外で大人になり、島に戻って、美花と結婚しずっと一緒に暮らしていくはずだった。津波が来るまえといまとで、なにも状況は変わっていない。

しかし、常識的な対処策と思われた洋一の言葉に、灯台守のじいさんは食ってかかった。

「そんな」

と、じいさんは言った。作業に加わらず、午前中を校庭の朝礼台に座って過ごしたじいさんは、体力を有り余らせているようだった。

「おまえはそれでもいいだろうよ、洋一。まだ若いし、外に行ってもいくらでも働き口はあるだろう。でも俺ぁどうなる。身よりもないし灯台もないんじゃ、島を出てもどうしようもない」

「一人で島に住んでも、それこそどうしようもないだろ」

洋一はじいさんの訴えを聞き流す。「災害手当が下りるだろうから、その金で施設にでも入るんだな」

「一人？」

じいさんは震える手で信之と美花を指した。「この子らは」

「親戚が引き取るんじゃねえか」

と洋一は言った。

そうか、なぜ思い至らなかったんだろう。親戚の家に身を寄せることになったら、美花と同じ学校に通えなくなってしまう。災害手当って、俺にも下りるんだろうか。そうしたらその金で、美花の住む家の近くにアパートでも借りられるだろうか。

「それでいいのか、おまえたち」

じいさんにすがりつかれ、信之は困惑した。「俺と島に残るだろ、どうだ」そんなのは無理だ。家も学校もなくなった島に、灯台守のじいさんと暮らすなんてぞっとしない。美花もまともに返事をせず、おにぎりを掌でいたずらに温めている。輔は灯台守のじいさんとでも島に残りたそうだったが、父親の洋一を怖れ、なにも言わなかった。じいさんはしなびたようになって肩を落とした。

「いま、自衛隊のかたにうかがってきたんですがね」

生き残った島の住人の輪に、山中が入ってきた。「どうも森の入口あたりの泥が深くて、バンガローに近づけそうもないらしいんです。ほかに道はありませんか」

「ああ、それなら」

と洋一が学校の裏山を指した。「校舎の裏手の斜面を上がると、神社がある。その境内を抜けて、山づたいに美浜地区のうしろの森に出られますよ」

「ありがたい。あとで行ってみます」

重い雰囲気をなんとか変えたいと、洋一も必死なのだろう。

「俺も行こうか」

と親切に申し出ている。山中は笑って、

「一人で大丈夫です」

と首を振った。「作業の合間に、ちょっと行ってみるだけだから。危険そうだったら、すぐに戻ります」

神社はもうないぞ、と信之は思ったが、黙っていた。大人の白々しい空元気《からげんき》がいやでたまらなかった。

視線を空に移す。波の音も雲の流れるさまも、いつもどおりの美浜島だ。息さえしなければ。どこまでもまとわりつく、淀んだような死のにおいさえしなければ。

午後には港地区の捜索もはじまった。小型のクレーンがワイヤーを張って、信之の家の屋根を地面から取りのけようとしている。まだまだ時間がかかりそうだ。美花の両親の姿を見ていたから、覚悟はできていた。それでもまだ、信之は耳を澄ませた。空気が通った瓦礫の下から、「お兄ちゃん」と呼ぶ琴実の声がするのではないかと思った。

輔は自宅の跡地にかがみこみ、さっきから棒きれで泥を掘っている。茶碗やふやけたノートを取りだしては、そこいらに放り投げている。輔は洋一の姿のないところでは、あいかわらずのびやかにふるまえるらしい。

あいつ、わかってんのかな、と信之は不思議だった。島を出るとなったら、輔を守ってくれるものはだれもいなくなる。信雅も、輔をそれとなく気づかっていた近所の大人も、みんな死んだ。いままでのように、信之の部屋に逃げこめるわけでもない。洋一と二人だけで暮らすこれからの日々を、輔はどう考えているのだろう。

一時間ほど作業を見ていた信之は、美花がいないことに気づいた。見通しのよくなった集落の隅々に、急いで視線を走らせる。美花は校庭につづくコンクリート製の階段の下にいた。横転したまま脇に寄せられた軽トラックの陰で、山中となにやら話しているようだ。しきりに首を振っているが、いやがっているとも焦《じ》らしているとも見える。

「美花！」

と呼ぶと、がらくたを越えて信之のもとに走ってきた。足場が悪く、いまにも転びそうだ。信之も走りだし、輔がかがんでいるそばで美花と行き合った。

「どうした？」

かばうように、信之は美花の手を引いた。山中は軽トラックにもたれ、もうこちらを見てはいない。美花は「ううん」と言って、乱れて頬にかかった髪を指で払った。

「なんでもない。なんだかしつこく、いろいろ言われただけ」

「いろいろって」

「親戚はどこに住んでるのかとか、困ったことがあったら連絡してくれてかまわないとか」

「なんだそれ」

信之は憤然とした。

「山中さん、カメラマンなんだって。東京に来るなら、雑誌モデルのアルバイトを紹介するって言ってた」

「なんだそれ」

と信之はもう一度言った。「うさんくさい。だまされんなよ、美花」

「大丈夫」

と美花は笑った。むきになった信之を、たしなめるような笑みだった。

「バンガローについてきてくれないかって言われたけど、断ったから」

輔が急に口を挟んできた。

「あのおじさん、なんでそんなにバンガローにこだわってんの」

「いいカメラを置いたままなんだって」

と美花は言った。「手もとにあったら、すごい写真が撮れたのにって悔しそう」

「なんでろくでもないやつばっかり生き残ってるんだ」

信之は怒りがこみあげ、言わずにはいられなかった。

「ろくでもないからでしょ」

美花は涙声になるのをこらえるためか、あえて素っ気ない調子で言った。「私も、あんたも、輔だって」

「そうだねえ」

と輔が楽しそうに笑った。

夕方までのあいだに、ひしゃげた板戸の下から父親が、濡れた布団が絡まった姿で母親が、信之の家から発見された。暗くなっても大型ライトを焚《た》いて捜索はつづいたが、母親と一緒にいたはずの琴実は見つからなかった。まだ土砂のなかにいるのか、小さな体は海へ流れでてしまったのか、わからない。

「あたしも行く」

と言ったときの妹の表情。暗い部屋で信之を見上げ笑っていた。

琴実と食べた最後の夕飯のメニューを、どうして忘れてしまったんだろう。両親の死体につきそって学校まで歩きながら、信之は考えていた。美花と会うことで頭がいっぱいだったからだ。飯なんていつでも食えると思っていた。美花に会い、家に戻り、またいつもどおりの朝を迎えるものだと思っていた。

たしかにろくでもない。

学校の一階の教室は、どこも死体袋でいっぱいになろうとしている。信之は両親の死体袋の頭のほうに、自衛官に言われるがままに線香を立て、手を合わせた。あちこちから漂う線香の煙で、教室の空気は白くかすんでいるほどだ。そうでもしなければ、においを消せないのだろう。

涙は出なかった。夢のようだった。

家族で囲む食卓の情景が浮かんだが、両親と妹の笑顔ははたして信之が本当に目にしたものなのか。記憶は早くも美化され、映画のなかのあたたかく平和な家庭そのものの姿で、のっぺりと再生されるばかりだ。

ヘリが水の入った大きなタンクをいくつも運んできたので、その夜は大鍋に沸かした湯を柄杓《ひしやく》で汲んで、カップ麵を食べた。毒々しい味と香りのほうが食欲をかきたてるのか、今度は汁まですべて胃に収めることができた。

親戚と連絡がつき、信之と美花と輔は朝が来たら、水を運んできたヘリに乗って島を離れることに決まった。山中も一緒だ。洋一と灯台守のじいさんはしばらく島に残り、作業の進展を見守るという。信之たちと入れ替わりにやってくる島出身の血縁者や関係者と、今後の相談もしなければならないだろう。

輔は当分、信之とともに親戚の家に預けられると知って、嬉しそうな顔になった。洋一と島に残れと言われたら、海に飛びこんでいたかもしれない。そう思わせるほど、安堵した顔つきだった。信之は不満だった。美花とはべつの家に引き取られるのに、どうして輔とだけ一緒なのか。遠縁とはいえ、あんまりだと思った。

大鍋に残った冷めかけの湯を使い、支給された薄っぺらいタオルをひたして体をぬぐった。輔はすっかり元気を取り戻し、校庭の真ん中ですっぽんぽんになった。疲労の色が濃かった自衛官のあいだで笑いが起きた。輔の卑屈と鬱屈を知らぬものには、愛嬌があって無邪気な子どもに見えるのかもしれない。

周囲の大人の機嫌を取るような輔の態度は、大きな災厄を経ても変わらないらしい。笑いの輪からはずれたところで、信之は体を拭《ふ》いた。美花は湿らせたタオルを手に、借りたテントのなかに入っていった。この島で、女は美花だけだ。信之はふいにそう気づき、美花とセックスしたくてたまらなくなった。昨日はそんな気はちっとも起こらなかったのに、両親の死体を見た日にどうしてこういうことになるのか、自分で自分が謎だった。

ほかのひとはどうしてんのかなと思った。大人は毎日のようにマスかかなくても平気なんだろうか。輔はたぶんまだだ。したのならきっと、「ゆき兄ちゃん、聞いて聞いて。俺ね」と報告に来ているはずだ。

簡易トイレに行き、ドアを閉めて手早く処理した。立ってやるしかないから、また脚ががくがく震えた。トイレットペーパーを和式の便器に捨てる。水は大便を流すときしか使えない。青臭いにおいと痕跡を消すために、トイレットペーパーに向けて小便をした。ペーパーは黄色く染まり、便器の穴へ落ちていった。

前日の夜と同じく、信之たちは二階の教室で眠ることになった。寝袋に入っても落ち着かない。両親も含め、階下でたくさんの死体が、同じように袋に入って天井を見上げているのだと思うと、妙な気分だった。怖いというのとは少しちがう。昨夜は感じなかった死者の視線が、数が増えたせいか圧力となって突きあげてくるようだ。

その晩も山中は、洋一と灯台守のじいさんを相手に酒を飲んだ。洋一は疲れていたのか、少し飲むとすぐにいびきをかいて寝てしまった。じいさんは気落ちしたままで、酒には手を出そうとしなかった。張り合いをなくしたのか、山中も強くは勧めず横になった。

洋一のいびきがうるさいせいで、だれが眠ってだれがまだ眠れずにいるのか、気配が読みとれない。美花は隣でじっとしている。いま美花に声をかけて抜けだすのはどうだろう。そう思いめぐらしながら、信之は洋一のいびきを数えた。数えるうちにいつのまにか眠っていた。

なぜ目が覚めたのか、最初はわからなかった。何度かまばたきして、教室が明るいせいだと気づく。身を起こし、そっと寝袋から出て窓辺に立つ。自衛隊は夜を徹して作業にあたっているようだ。集落で焚かれた大型ライトの明かりが、校舎まで届いてあたりを照らしていた。

信之は室内を振り返った。青白く強力な人工の光は、奇妙にくっきりした黒白のコントラストを作りだしている。床にのびた自分の影を目でたどり、信之ははっとした。

廊下に一番近い山中の寝袋がからだ。信之の隣で寝ていたはずの美花もいない。チャックの開いた美花の寝袋に触れる。ぬくもりが残っている。トイレか？　だがそうだとしても、山中までいないのは変だ。動悸がした。また窓辺に寄って、校庭を見下ろす。簡易トイレのまわりにもテントのそばにも人影はない。洋一はまだ軽くいびきをかいている。

確信に近い予感に駆られ、教室を出た。廊下を走り、校舎内の階段を下りて通用口から裏手へ抜ける。そのまま裏山の斜面を駆けあがった。

藪《やぶ》が揺れた。西村のおばちゃんが倒れていたところだ。山から下りてきた獣が死体をかじっているのかもしれない。だが、いまは気にしている場合ではなかった。

急な山道で呼吸が苦しくなり、信之は途中で一度立ち止まった。「美花！」と暗闇に呼びかける。返事はない。

再び走り、とうとう神社の境内だった場所に出た。魚の腐臭が充満している。光が射した。振り仰ぐと、雲が流れやや欠けた月が夜空に浮かんでいた。

激しい息づかいが聞こえる。自分のものか、それとも腹を減らした獣がここにもいるのかと思ったが、そうではない。境内にたった一本残った神木の根もとで、塊が蠢いている。白い蛇が地面をのたくっている。信之は目をこらした。美花の腕だった。

美花は海藻の散らばった土を掻き、自分にのしかかる黒い塊を掻いていた。信之は美花に近寄った。美花の目は薄く膜が張ったように輝いている。信之の姿を認めた途端、美花の唇が動いた。

たすけて。

声は聞こえなかった。ゆっくりと、たしかに、美花の唇が動いたのだけが見えた。信之は黒い塊につかみかかり、美花から引きはがした。

山中は「ヒィッ」と情けない声を上げ、地面に転がった。まだ怒張したままの性器が濡れ濡れと月明かりに照らしだされた。信之は山中の下腹部めがけて足を踏み下ろした。山中はまた「ヒィッ」と短く叫び、体を反転させて信之の攻撃を避けた。

「待ってくれ」

と山中は言い、膝をついてズボンのチャックを上げた。「待ってくれ。なにか誤解がある」

信之は無言で山中の肩を蹴り飛ばした。山中はのけぞりひっくりかえった。横たわった山中の腹をつづけざまに蹴った。山中は身をよじり、四つん這いで逃げようとした。その尻をさらに蹴りあげた。

「どんな誤解だ」

信之は言った。ひどくかすれた声しか出なかった。まえのめりに倒れこんでいた山中は尻だけ上げた恰好のまま、地面に頬をこすりつけるようにして信之を見上げてきた。

「美花ちゃんは俺についてきた。ついてきたんだよ」

「そんなわけがないじゃない」

美花が低く言った。信之は振り返る。美花は神木の根もとに座りこんでいた。両脚を閉じる気力もないのか、右足首にジャージのズボンと下着を引っかけたまま、尻を地べたにつけて神木にもたれかかっている。

「そうでもなければ、どうやってここで俺と二人になれる?」

山中は信之に訴えかけた。信之は再び、山中に視線を戻す。山中はずるずると這って、信之から距離を取ろうとしていた。

「嘘《うそ》つかないで」

「なあ、冷静になってくれ」

「私は眠れなくて、一人で月を見にここへ来ただけなのに」

「嘘だ。女の子が夜中に、こんな場所に来るはずないだろう? 俺が誘って、美花ちゃんもついてきたんだ」

「やめてよ、嘘を言うのはやめて!」

美花が悲鳴に近い叫びを上げた。

信之は脳髄がしびれてきた。動悸もいよいよ激しくなっている。怒りのためか混乱のためかわからない。とにかく黙らせたかった。美花も、山中も。

「じゃあ、きみに聞こう」

と山中は信之に言った。「俺が美花ちゃんに乱暴しているように見えたか?」

信之は山中を見下ろした。山中はいつものにやついた笑いを浮かべ、信之の視線を受け止めた。

月が雲に隠れ、だれの顔も見えなくなった。

「そいつを殺して」

暗がりから声がした。信之は身をかがめ、山中の胸ぐらを手探りでつかんだ。山中が驚きに息を飲む気配がした。山中は信之の手を振り払い、闇雲に腕を振りまわした。拳が頬に当たり、信之は奥歯で口内の粘膜を切った。血の味が広がった。

逃げだそうとした山中の服の裾をつかみとめる。山中が助けを求めて声を上げようとしたので、掌でふさいだ。唾液と鼻水で手が濡れて気色が悪かった。

山中は羽交い締めにされたままうめいた。信之の甲を爪でえぐり、力が緩んだところで山中は言い募った。

「きみだって見ただろう。この子は喜んでいた。喜んでただろう」

その瞬間、信之の体の底からなにかがあふれた。耳に入った水がやっと出るときのように、それはなまぬるくこみあげ滴《したた》り落ち、そして信之を楽にした。

「変質者の言いぶんだ」

どこにこんな力があったのかと自分でも驚く強さで、信之は山中にのしかかった。地面に転がりながら、山中の首に両手をかける。髪をつかまれ、右目に山中の親指が食いこみそうになったが、信之は抵抗をものともしなかった。怒りに似た荒々しい活力が体内に満ちている。絞めあげる他人の喉は、水の詰まったゴム風船みたいに弾力があった。破れろ。血も骨も粉々に飛び散れ。

月が再び雲の合間から現れた。

膝がなまあたたかく湿った。山中は失禁し、唇から吐瀉物《としゃぶつ》なのか血なのかわからぬ泡をこぼして白目を剝いていた。

汚ねえな。濡れた膝を山中のシャツになすりつけてから立ちあがる。

「殺したよ」

と信之は言った。いつのまにか着衣を整えた美花が、隣で山中を見下ろしていた。

「うん」

と美花は言った。平坦な声だった。

「隠さなきゃ」

美花がかがんで山中の足首をつかんだので、信之も山中の腋《わき》に腕を差しこんだ。本当は触りたくなかったが、しかたがない。汗ばんで柔らかい皮膚の感触に耐え、山中の体を抱え起こす。

二人は境内の端まで山中を引きずり、大岩目がけて斜面へ突き落とした。鈍い音を立て、山中の後頭部が岩に当たった。山中の体はくずおれ、岩と斜面の狭間のくぼみに転がった。境内に散乱していた枝や海藻を、手当たり次第に投げ落とす。岩陰の山中の姿は、すぐに見えなくなった。

「死んだよな」

急に不安になり、信之はかたわらの美花に尋ねた。

「私たちはずっと教室で寝ていた。ばれるわけない」

と美花は言った。そのとおりだと信之も思った。島は死体ばかりだ。駐在も教師もまともな大人も、みんな津波に飲まれて死んだ。いまさら死体がひとつ増えようと、たいしたことじゃない。ばれるわけがない。

信之は美花と手をつなぎ、裏山を下りた。

通用口から校舎に入ったとき、廊下の角を影がよぎった気がした。信之は足を止めたが、美花は気づかなかったようだ。

「どうしたの、早く」

と、さきに立って廊下を歩いていく。足音を忍ばせて教室に戻った。洋一はいびきをかいている。輔と灯台守のじいさんは、静かに寝袋に収まっている。

信之と美花はそれぞれの寝袋にもぐりこんだ。腕だけ出して、手はつないだままにした。美花の指先には土がこびりついていた。信之は寝袋ごと横向きになり、つないだ美花の手の指を、もう片方の手で撫でた。それから頭だけを上げ、口に含んで舌できれいにした。血の味がした。山中に抗《あらが》ったときに美花の爪が割れたためなのか、殴られた信之の口内の味なのか、どちらともつかなかった。

ひとの命を奪っても、感情と思考は冷え冷えとしている。案外こんなものかとも思ったし、俺はどこかが麻痺してしまったのかもしれないとも思った。

殺してはいけないと、いまのこの島で言うのは無意味だ。なぜ殺してはいけない。罪を犯したら家族や友人が哀しむからか。俺の家族と友人は全員死んだ。死体袋のなかの泥人形が哀しむとは思えない。秩序を乱してはいけないからか。もとからこの世界のどこにも秩序なんかなかったのだと、理不尽な死にあふれた島がこれ以上なく告げている。殺されてもしかたないほど罪深い人間はいないからか。本当に？

当然のことをしただけだと信之は思った。好きな女が犯されているところを見たら、だれだってああする。

美花が声を殺して笑った。すすり泣きに似ていた。美花が落ち着くまで、信之は美花の指先を舌でなぞっていた。


早朝の散歩に出たのかと思われていた山中が、いつまでも戻ってこない。ようやく人々が山中を探しはじめたのは、ヘリが離陸する予定の時間が迫ってからだった。

バンガローに行ったんじゃないか、と洋一が言い、信之と美花も自衛官数人とともに裏山へ登った。輔もついてきた。

途中で、腐乱し動物にかじられて尻の肉が欠けた西村のおばちゃんが発見され、山中の捜索はますます遅れた。昼過ぎになってやっと、神社までたどりつく。

斜面を覗きたい思いを必死でこらえた。夜が終われば大胆さと万能感は消え失せ、したことが明らかになるのを怯えるしかなくなっていた。信之と美花は、固く手を結びあった。震える体を抑えるためでもあったし、真実を語りだそうとする互いを牽制《けんせい》するためでもあった。

「寒いのか」

と灯台守のじいさんに気づかわしげに尋ねられ、

「どうして」

と信之は笑ってみせた。手の甲や右のまぶたにできた傷を見られている気がしてたまらなかった。美花の膝や腕にできた擦過傷を、いまにも指摘されそうで気が気じゃなかった。

「こっちにおじさんの靴がある！」

と輔の声がした。信之はすくみあがったが、輔は斜面とはてんで見当違いの木立のあいだから姿を現し、「こっちこっち」と美浜地区へ通じる森の道へ手招いた。境内に散らばろうとしていた捜索隊は、神社から離れていっせいにさきへ進みだした。

どういうことだ。列のうしろについて歩きながら、信之は混乱のただなかにいた。生きていたのか？　喉骨の砕ける震えが俺の親指と共鳴し鼓膜の内側に直接伝わったのに。美花に強く手を握られ、我に返る。動揺してはならない。あいつは死んだ。俺が殺した。死人はなにもしゃべれない。発覚しなければなかったことと同じだ。

山中の靴は左だけ、椿の谷に臨む林道に落ちていた。谷の斜面は津波をかぶり、椿はほとんどが薙ぎ倒されていた。かろうじて立っている木も、乾いた泥で枯れたみたいに茶色く染まっている。谷底を流れる沢はコーヒー牛乳のような色だった。

変わり果てた名所は、島の死を象徴していた。「たしかに山中さんの靴だ」と洋一は言い、灯台守のじいさんもうなずいたが、実際のところ靴も山中もどうでもいいと思っているのは明らかだった。

山中はただの客だ。島が壊滅しては観光客などなんの意味もない。生まれた場所を失ったことを、ともに育ったひとたちが失われたことを、生き残りの大人もいまようやく受け入れざるをえなくなったようだった。

谷を下りることはできそうになかった。山中はバンガローに行く途中で、足を滑らせて転落した可能性が高いと結論づけられたが、捜索はあとまわしにすることになった。ヘリの離陸時間が遅れていたし、浜辺には腐臭を放つ死体がまだたくさん埋もれ、海のどこかを漂う死体も探さねばならなかった。このままうやむやのうちに行方不明で片づけられるのだろうと、だれもが無力感とともに推測しているのがわかった。

谷を見下ろし、力が抜けたようにしゃがむ洋一に、信之は内心で語りかける。

元気だせよ、おじさん。俺と美花がいる。俺たちがいれば、島は必ずよみがえる。

やはり自分のしたことはまちがっていなかったのだと思った。

再び神社を通って、捜索隊は校庭まで戻った。信之はさりげなく、境内から斜面を覗いた。大岩の陰に、木っ端と海藻が溜《た》まっている。昨晩と変わりなく、山中はその下に横たわっているように見える。

俺のしたことを、だれかが見ていたのだろうか。校舎の廊下をよぎった影が思い起こされた。そのだれかは、俺を助けるつもりで、山中の靴だけ移動させたのだろうか。

でも、だれが？

靴を発見した輔のようにも、物言いたげな視線を寄越す灯台守のじいさんのようにも、わざとらしく脱力してみせた洋一のようにも、表情を削《そ》ぎ落として歩く美花のようにも思えた。カラスや獣のいたずらかもしれない。

だれでもかまわない。露見し捕まるのならそれまでだし、隠蔽《いんぺい》に手を貸すだれかがいるのなら乗ってやる。

美浜島の地面から離れたとき、引力を振りほどいたような浮遊感と解放感を覚えた。

信之も美花も輔も、島から出るときはいつも船を利用していたから、ヘリに乗るのははじめてだった。まして、自衛隊の大型ヘリだ。輔は爆音にもめげずおおはしゃぎだった。美花は平衡感覚を失ったのか、青ざめてシートに座っている。信之は小さな窓から外を眺めた。

破壊されつくした美浜島は、山裾の地面が剝きだしになり、みじめで滑稽な姿になっていた。ヘリは島の上空で一度旋回し、高度を上げて大島のほうへ針路を取った。

窓から見える美浜島はどんどん小さくなり、海に浮かぶ緑の点になって、やがて信之の視界から消えた。

霧のような薄い雲のかかる空が、どこまでも広がっていた。

二

寝室にしている薄暗い六畳間の布団のなかで、南海子《なみこ》は天井を見上げていた。

窓にかかった青いカーテンの向こうで、朝の気配がする。このカーテンは南海子の気に入りだった。光が射すと海のように、光を失うと夜空そのもののように、色を変えてみせる。家具や衣服や食器のほとんどは、安さと実用性に重きを置いて選んだものだが、カーテンだけはちがう。わざわざ丸井の家具売り場まで行って買った。

目覚まし時計はあと五分で鳴るはずだ。南海子の左隣では娘の椿《つばき》が、右隣では夫が眠っている。二組の布団を親子三人で使うのも、そろそろ限界かもしれない。椿の足はいまも、布団のなかで南海子の太ももに載っている。かさむ出費を思えばため息が出るが、希望と目標があるから、家計のやりくりをするのを苦とは感じない。

窓の外から、多摩川べりを走る車の音がひっきりなしに聞こえる。だが、南海子が時計に起こされるよりもさきに覚醒したのは、エンジン音のためではない。車は昼夜を問わず、南海子たちの住む古い団地を揺らして走る。

夫は眠っている。うなされながら眠っている。

どんな夢を見るの。そう尋ねていたのは、結婚して一年目ぐらいまでのことだった。いまではもう、尋ねることをしなくなった。夫が、「なんでもない」と微笑《ほほえ》む以上の返事はしないとわかったからだ。

うわごとでも言うのではないかと、耳をそばだてたこともあった。そこから、夫の心を軽くするためのヒントを得られるかもしれない。しかし夫は、言葉はなにも発さない。哀しげな獣の鳴き声のように細くうなり、快楽にひたるときのように呼吸を乱すだけだ。

枕もとで最初の一音を奏でた目覚まし時計を止め、南海子は静かに身を起こした。椿の体に布団をかけ直してやり、立って部屋着に着替えエプロンをつける。

ちょうど夫の心臓のあたりに、カーテンの隙間から白く細い光が射している。南海子は横たわった夫を見下ろす。気配に気づかず眠る夫の眉間は、苦悶《くもん》を示して皺《しわ》を寄せている。

南海子はうっすらと笑う。

夫を起こすことはせず、襖《ふすま》を開けて台所に出た。

機嫌よく歌う声が聞こえる。「咲いた」と「咲いた」の合間で水音が乱れる。洗面所から戻ってきた椿は、パジャマの首もとを盛大に濡らしていた。

「ママー、あたし今日、ズボンがいい」

「どうして」

「ジャングルジムやるから。フミくんたちが、『パンツ見えてる』ってからかう」

南海子は台所の壁にかかったカレンダーを見た。そうか、幼稚園は今日は「おさんぽの日」か。幼児教室があるのに、椿の帰りは遅くなるかもしれない。

「スカートにしなさい。もうそこに出してあるから」

「やだ、ズボンがいい」

「ズボンは洗濯中なの。ジャングルジムはまたにすればいいでしょ」

椿は不満そうに食卓の脇でぐずぐずしている。

「いいからスカートを穿《は》きなさい！」

と南海子は声を荒らげた。椿はスライド式の合板扉を開け、フローリングの居間へ入っていった。開けっ放しのドアから、椿がソファのうえの着替えを手に取り、それを再びソファへ戻し、着ていたパジャマのボタンを外すのが見えた。もたついた動作だ。この子はもしかしたら、あまり賢くないのかもしれない。南海子はふと思い、急いでその考えを打ち消した。

「朝からなにを怒鳴ってるんだ」

椿と入れちがいに、今度は夫が洗面所から台所にやってきた。髭《ひげ》を剃《そ》り、南海子がアイロンがけしたワイシャツを着た夫は、いつもどおりすっきりした顔だ。夢にうなされたことなど一度もないかのように。案外、本人は本当に覚えていないのかもしれなかった。

「椿がわがままを言うから」

南海子の視線を追い、夫は居間を覗《のぞ》きこんだ。椿はようやくブラウスを羽織り、小さな手でボタンを留《と》めはじめたところだ。

「手伝わないでよ」

居間に足を向けかけた夫を、南海子は制する。「一人でやらせなきゃだめ」

軽く肩をすくめた夫と、椿が目くばせして笑った。南海子は三枚の皿にフライパンからスクランブルエッグを移した。櫛形《くしがた》に切ったトマトと焼いたベーコンも添え、食卓に並べる。夫はトースターに食パンを二枚入れ、焼きあがるのを待つあいだ、椅子に座って新聞を読んでいる。背もたれにかけたスーツの上着が型くずれしそうだ。南海子は注意しようか迷い、結局やめた。

椿が居間のテレビをつけた。アナウンサーの声がしたのは一瞬で、すぐに幼児番組の音に変わった。南海子は居間に行き、

「早くご飯を食べなさい」

と椿を台所の食卓へ押しやった。チャンネルをニュースに戻し、脱ぎ捨てられていたパジャマを洗面所の洗濯機に放りこむ。背後から夫と椿のやりとりが聞こえてくる。

「いってきます」

「九時過ぎになると思う」

「いってらっしゃい。今日も遅いの？」

さきに朝食を終えた夫は、洗面所で歯を磨きネクタイを締めると、「いってきます」と言った。南海子は食事を中断し、椿とともに夫を見送った。

「パパ、いってらっしゃい！」

「そう。気をつけて」

「いってきます」

南海子は洗濯機のスイッチを押した。水が洗濯槽になだれ落ち、服やタオルの色を濃くしていった。

チンとトースターが鳴り、夫が椅子から立つ音がする。二枚のパンを娘と自分の皿に載せ、新たな一枚をトースターに入れてタイマーをひねる音がする。いつもどおりの朝だ。

「パパはまた一枚焼く」

「パパは？」

「じゃあ、パパのを一枚わけてやる」

「一枚」

「椿、パン何枚だ」

と夫はもう一度言い、南海子と椿に軽く手を振った。ドアの向こうに消える夫の顔は、少し微笑んでいる。このひとはいつも穏やかだ、と南海子は思う。でも、ドアを閉めて団地の外廊下を歩く夫がどんな表情をしているのか、私はいつもうまく想像できない。

南海子と椿はまた食卓につき、朝食のつづきを摂《と》った。からになった皿を流しに下げ、南海子は洗面所で髪をとかし薄く化粧した。洗面台についた小さな蛍光灯が、半透明のプラスチックカバーのなかで小刻みに明滅する。

この洗面所には窓がない。風呂にもトイレにも。

口紅を乱暴に洗面台へ投げ、「行くよ」と椿に声をかけた。椿は居間で、幼稚園のピンク色のスモックをかぶっていた。襟ぐりから顔を出そうと、一心に裾を引っ張っている。痛がる椿を無視して、強引にスモックを着せつけた。手を引いて玄関を出たところで、隣に住む山内《やまうち》と行き合った。

「おはようございます」

と挨拶を交わす。南海子が握った手に力をこめると、椿も小さな声で「おはようございます」と言った。箒《ほうき》を手にした山内は、「椿ちゃん、元気?」「今日もいい天気ねえ」などとにこやかに話しかけてくる。

「すぐに戻りますから」

南海子は笑顔で山内に会釈《えしやく》し、外廊下を早足で歩いた。引きずられるように椿も足を動かす。

なんとか遅刻せずに、団地から徒歩五分の距離にあるひまわり幼稚園に着くことができた。若い先生に迎えられ、椿はもう南海子を振り返りもせず教室に入っていく。教室にいた友だちとさっそく遊びはじめる椿を見届けてから、南海子は来た道を急いで戻った。

箒を持って、団地の棟まわりを掃除していた山内と合流する。ほかにも三人ほどが、しゃべりながら箒を動かしている。山内も含め、全員が南海子よりもずっと年かさの先住者だった。この団地に住む南海子と同じような年齢の主婦は、ほとんどがパートに出ていて昼間はいない。

「聞いた?」

南海子の姿を見て、山内が言った。「変質者が出てるらしいよ」

「川部《かわべ》小の女の子が何人も、夕方、変な若い男に声をかけられてるんだって」

「物騒ねえ。ゴミもしょっちゅう荒らされるし」

団地の女たちは口々に言い、うなずきあった。

「ホームレスの仕業だね。最近また増えたみたいだし」

山内は断定し、南海子に視線を寄越した。「あれ、なんとかならないもんかしら。おたくのご主人、市役所にお勤めなんでしょ」

「何度も言ってるんですけど、なかなか難しいらしくて」

南海子は答え、ゴミを探すふりでさりげなく輪から離れた。団地の裏手まで来て、詰めていた息をようやく吐きだす。

四つの四階建ての棟からなる、小さな団地。割れたアスファルトの地面を、建物の影が二分している。南海子は影のただなかに立って、闇雲に箒を動かした。

敷地内に併設された保育園から聞こえる子どもの声がうるさい。南海子の鼻先をかすめる排ガスのにおいとは関係なく、見上げた二月の空は青く澄み渡っていた。

社交を終えて部屋に戻る。朝食の後片づけをし、洗濯物と布団をベランダに干す。ベランダから見えるのは、南海子の住む棟とまったく同じ造りの建物だ。外壁をくり抜いたように奥まった、暗い外廊下。外廊下に面して並ぶ、格子のはまった台所の小さな窓。南海子はそれらに背を向け、部屋に入って窓を閉めカーテンを引いた。

室内の掃除を終えても、まだ昼前だ。居間のソファに座って、しばらくテレビを眺める。

正月に群馬の実家に帰ったとき、

「あんたはいいひとと結婚できてよかったよ」

と南海子の母親は言った。本当にそのとおりだと南海子も思う。夫は優しい。いつだって南海子を気づかい、椿をかわいがる。

ホームレスのことだって、南海子はとうに夫に言ってある。

「カラスじゃないのか」

「カラスがネットをめくって、ゴミ袋の結び目をほどいて、中身を漁《あさ》ったりする？」

「まじめに聞いて」

「進化したのかもしれない」

「聞いてる。ああいうひとたちは、一般家庭のゴミはあまり漁らない。コンビニや飲食店がいくらでもあるからね」

「じゃ、だれがゴミ置き場を荒らしてるの」

「進化したカラスじゃないのか」

南海子が気色ばむと、夫は笑って、

「まあ、いちおう関係する部署のやつに伝えておくよ」

と請けあってくれた。

テレビの脇に置かれた子機を手に取り、南海子は実家に電話をかけてみた。母親は出かけているようで、呼び出し音がつづくばかりだった。住人の大半が出払った団地内に、ひとけは感じられない。残りご飯を解凍し、梅干しをおかずに台所で昼を食べた。五分で済んだ。

いよいよすることがなくなり、南海子はコートを着てマフラーを巻き、玄関を開けた。

人影がないのを確認し、だれにも会いませんようにと念じながら外廊下を歩く。団地の敷地を出ると息ができる気がする。少し考えてから、大通りではなく多摩川の土手へ行こうと決めた。

団地の脇には、堤防へ上がるためのコンクリートの階段がある。十段ほどの、ひび割れて段差もまばらな小さなものだ。上がりきると、川からの風が排ガスとともに顔に吹きつけた。

巨大な堤防に沿って、多摩沿線道路が通っている。片側一車線の広くもない道だが、いつも車通りが激しい。抜け道として利用するトラックや営業車で渋滞していて、南海子は横断歩道のボタンを押すことなく、車のあいだを縫って渡ることができた。

渡ってすぐのところにある、五段ほどの階段を上る。今度はちゃんと整備された階段だ。そこはもう多摩川の堤防のてっぺんで、細いサイクリングロードの向こうには、土手の斜面が広がっている。

多摩川は今日も空の色を薄く映し、ゆっくりと海を目指して流れていた。

南海子は斜面を下り、土手の半ばに腰を下ろした。草は枯れ、土手全体が茶色くくすんでいる。水辺ぎりぎりの河原に、青いビニールシートで作られた小屋がいくつも並んでいる。

だが対岸には、そんな小屋はひとつもない。かわりに真新しいマンションが何棟も、高さを競うように天へ伸びている。

なんてちがいだろう。南海子は唇を歪《ゆが》めた。東京都大田区と神奈川県川崎市。輝く強化ガラスのマンションと剝《は》げかけたベージュの塗装の団地。唯一の慰めは、対岸のマンションの窓から真っ先に目に入るのが、青いビニールシートのつらなりだということだ。小屋からちょうど、年老いた男が出てくるのが見えた。迎え撃て。攻めこめ。内心でけしかける。男はかがんで川に手をひたしているようだったが、しばらくすると小屋に引っ込んでしまった。前線は依然、膠着《こうちゃく》状態にあります。南海子はつぶやき、一人で笑った。

水はいつも隔てる。陸地を。ひとを。

堤防のあいだをおとなしく流れる川は、鉄のように生臭いにおいをしている。それは凝《こご》った血のにおいに似ている。


午後三時になったので、洗濯物と布団を取りこんだ。日光に当てるために干すのか、排ガスにさらすために干すのかわからない。それでも義務を果たした気分で、居間のテーブルに衣服を山積みした。畳んでいる時間はない。

よそゆきに着替え、入念に化粧しなおしてから、幼稚園へ椿を迎えにいった。散歩で公園まで行った子どもたちは、興奮冷めやらぬ様子で園庭を駆けまわっている。

椿はすべり台にもたれ、うつむきがちに立っていた。

　南海子は椿に駆け寄った。迎えの母親たちと笑顔を交わす余裕も忘れた。

「どうして汚すの！」

ピンクのスモックの裾に、大きな泥染みができている。南海子はスモックをまくりあげた。

「ごめんなさい」

と小声で謝る椿に、うしろを向くよう告げる。思ったとおり、水色のスカートの尻の部分が、丸く泥で汚れていた。

「椿ちゃん、尻餅をついたんです」

もも組の先生がおずおずと報告した。「怪我《けが》はなかったんですが」

「この子は運動神経が悪いから」

自分の剣幕に気づき、取り繕うように南海子は笑ってみせた。「どうもありがとうございました」

南海子と椿を遠巻きに見ていた母親たちにも、「さよなら」「おさきに」と笑顔で挨拶する。頰が引きつっていたかもしれない。

幼稚園を出たところで、改めて椿を叱った。

「今日はお教室に行く日でしょ。着替える時間なんてないよ。どうするの」

「ごめんなさい」

「泣いたってママ知らないわよ！　汚しちゃだめだって言ってるのに汚すんなら、そのまま行ったらいい！」

　椿は涙をこらえ、必死に南海子のあとをついてくる。歩くうちに南海子は少し落ち着き、しかし歩調はゆるめなかった。急げばまにあうかもしれない。

　どうして椿は言うことをきかないんだろう。なにをしても動作が鈍くて、ちっとも素直じゃない。

「早くいらっしゃい」

　団地の階段を駆けあがり、遅れて走ってきた椿を突き飛ばすようにドアのなかに入れる。「ここで待ってて。靴は脱がなくていいから」

「おしっこ」

「幼稚園で済ませてきなさいよ！」

　椿は泣きべそをかきながらトイレに行った。南海子は寝室の箪笥《たんす》を開け、適当なスカートを引きずりだす。トイレから出てきた椿のスモックとスカートを急いで脱がせ、肩につかまらせて新しいスカートを穿かせる。

　椿の手を引っ張って、団地の階段を駆け下りる。大通りを渡り、短く閑散とした商店街を抜ける。南武線の線路の向こうに、大企業の近代的なビルが見える。

南海子は呼吸を整え、向河原《むかいがわら》駅の踏切を越えた。整然と区画された街に、大きなビルや清潔な工場が並ぶ。南海子と椿は、スーツ姿のサラリーマンに交じってレンガ敷きの歩道を歩いた。

「あ、新幹線」

と椿が言ったが、南海子は無視した。東海道新幹線の高架をくぐり、東横線の武蔵小《むさしこ》杉《すぎ》駅へ向かう。多摩川の対岸にも建っていたような高層マンション。そこに住むひとたち。

磨きぬかれたガラスと金属でできた街並みは、南海子の住むくすんだような川べりの町とはまったくちがう。歩いて十五分とかからぬ距離なのに、家賃も景色も空気までもがちがう。隔てとなるのは、川ばかりではない。線路もまた、ひとを運び、ひとを隔てる。

武蔵小杉の駅前にある、小学校受験専門の幼児教室に椿を預けた。身ぎれいな恰好《かっこう》をした母親たちと、あたりさわりのない話を五分ほどした。

南海子は、「今度うちに遊びにこない?」と誘われるのを恐れていた。誘われたら、誘わなければならない。あの団地に。冗談じゃない。

「じゃあ、夕方に迎えにくるからね。先生のおっしゃることをよく聞いて」

南海子がそう言うと、原色のブロックを持った椿はうなずいた。

ほかの母親は、武蔵小杉の駅前でお茶をしながら時間をつぶす。南海子は「買い物があるから」と母親の群れと別れた。少し歩いたところで振り返る。母親の一団はまだ立ち話をしていた。鈍重な恐竜みたいにしか移動できないらしい。そのうちの一人と目が合ってしまい、南海子は慌てて微笑み手を振った。

「あのひと、いつもつきあい悪いわよね」「あんまりお金がないんじゃない」などと、陰で言いあうにちがいない。かまうものか。幼児教室に子どもを通わせているのは東横線沿線に住むひとばかりで、以前は南武線を利用していると知られるのも恥ずかしかった。いまは慣れた。南海子は自分がどこに住んでいるか言ったことはないが、どうせもう知られているだろう。

南武線の武蔵小杉駅の改札をくぐった。夕飯の買い出しをしなければならないのは、嘘《うそ》ではない。

電車は武蔵小杉駅を出てすぐに、ほぼ九十度カーブする。次の向河原駅で降りることはせず、南海子は座席で揺られていた。川崎まで行こうとすでに決めていた。窓の向こうを、多摩川べりの地味な町がよぎっていく。振り返れば近代的なビルと工場が見えるとわかっていたが、そんなものは目にしたくもなかった。

川崎駅のコンコースは、ひとでごった返している。駅ビルを素通りし、臨港《りんこう》バスに乗った。コンコースにあれほどいたひとはどこへ行くんだろうと思うほど、バスはいつも空《す》いている。

老人と制服を着た高校生をまばらに乗せ、バスは川崎港に向かって大通りを走る。パチンコ屋やチェーンの居酒屋はすぐに途絶え、道の両側にはマンションに交じって、二階建ての小さな町工場が目立ちはじめる。道幅は広い。工業地帯に向かう大型トラックが、バスの前後を走っていた。

臨港中学校前でバスを降り、鋼管通り《こうかんどお》りからはずれて、細い路地を歩いた。住居と工場が一体となった家や、増築を重ねたらしいマンションの合間に、古い木造アパートがいくつも建っている。

そのうちのひとつ、蓮華《れんげ》荘の外階段を上る。鉄製の階段は錆《さ》びつき、あちこちに穴が空いていた。四つ並んだドアは、どれもベニヤがささくれ立ち、雨水にふやけた形のまま浮いている。南海子は一番奥のドアをノックした。しばらく待つが、返答がない。錆《さび》なのかペンキなのかわからぬ朱色の郵便受けがからなのをたしかめてから、もう一度、今度は少し強く叩《たた》く。

Tシャツにトランクスの男が、億劫《おっくう》そうにドアを開けた。ぼさぼさの髪の毛を片手でかきまわしながら、男はあくびした。

「寝てた?」

「見てわからない?」

「ごめんね、出直す」

身を翻そうとした南海子の手首を、腕をのばして男はつかんだ。無言のまま部屋に引き入れられ、背後でドアが閉まると同時に、南海子は男のにおいがする布団に転がりこんでいた。

「しょうがねえなあ、あんたは」

男はまだ半分寝ぼけているらしい。南海子にのしかかって肩口に額をすりつけ、うなるように言った。南海子の頰を、男の真っ黒い髪がくすぐる。大型犬にじゃれつかれているようで、南海子は声を立てて笑った。男も顔を上げ、南海子を見て楽しそうに笑う。男は目も真っ黒だ。この男の目を見てはじめて、南海子は本当に黒い目をした人間はそう多くないのだということを知った。

無精髭《ぶしょうひげ》の生えた顎から、そげた頰にかけてを右手の人差し指でたどると、男は少し顔を傾けて南海子の指先をくわえた。爪にやんわり歯を立て、指の腹を舌で撫《な》でてから軽く吸う。南海子はお返しに、解放された濡れた指先で男の唇をたどってやった。男はまた笑った。今度は唇の端を引く笑いかただった。そうすると左の頰にだけわずかにえくぼができる。

「時間あんの？」

と男が囁《ささや》いた。低くかすれたような声をしている。この声を聞くと、南海子は頭の芯がぶれるのを感じる。

「五時半まで」

答えながら南海子は、トランクス越しに男の性器を握ってみた。まだなにも反応していない。

「もっと時間あるときに来りゃいいのに。俺、眠いんだけど」

高い体温は眠気のせいか。子どもみたいだ、と愛おしくなり、男の胸を掌で押した。身を起こしてトランクスを引き下ろし、薄く潮の味がする性器をくわえる。

「あんたコートも脱いでないよ」

男はみたび笑い、布団に尻をついて座った。南海子は一心に性器を舐《な》めながら、男の長い指が頬をくすぐり、やがて乱した髪ごと頭皮をそっとつかむ感触を味わっていた。

「すごく気持ちよさそうじゃねえ？」

動きを緩めて男が言い、南海子は目を開ける。雨漏りの染みがついた天井と、時代遅れの笠がついた蛍光灯が見える。

「それとも俺の勘違い？」

男はたまに、セックスの最中にこうして無邪気に質問してくる。南海子はいいから動いてと言うかわりに、男の背にまわした腕に力をこめる。気の利いた返事もできないのに、男はちゃんと南海子の要求に応えてくれる。南海子の太ももを片手で支え、もう片方の手は南海子の首の横あたりについて、強く腰を動かしてくれる。

　動きにあわせて、南海子の唇からは馬鹿みたいに声が漏れた。南海子は男の背から右腕を下ろし、揺さぶられながらなんとか手の甲を嚙《か》んだ。男は目を細めた。またえくぼのできた男の頰から、着衣をはだけた南海子の胸もとに汗が滴《したた》り落ちた。

「あー。仕事行くまえに銭湯寄りてえ」

　男は立ちあがってのびをし、布団を踏んで四畳半の部屋を横切った。狭いたたきの脇の流し台でタオルを濡らして絞り、南海子に投げて寄越す。南海子は首と胸と内股を拭き、服を整えた。

「なんか飲む？」

　と聞かれ、首を振る。男は小さな冷蔵庫を開け、二リットルのペットボトルの茶を直接口をつけて飲んだ。ちらっと見えた冷蔵庫のなかには、ほとんどなにも入っていないようだ。缶ビールすら見あたらなかった。この男は酒を飲まないのかもしれない。なんとなくそんな気がした。

「あんたやり終わると、急に遠慮がちになるよね」

　トランクスだけ身につけた男は、布団の脇にしゃがんで南海子の顔を眺めた。そうしても、腹まわりでたるむ肉はひとかけらもない。

「そのわりに、さっさと帰るわけでもない」

「まだ時間あるから」

「もう一回やる時間はねえよ」

「意地悪なのね。帰る」

どうにか脱いで畳に放りだしておいたコートを引き寄せる。

「拗《す》ねんなって」

男は南海子の頬を指の背でひと撫でした。べつに拗ねてはいない。したいことはしたし、もう帰ってもよかったのだが、南海子はコートから手を離した。

ふいに、こんなことを夫が知ったら、どういう顔をするだろうと思う。男は南海子の考えを察したように、

「あんたの旦那は、どんなふうにあんたを抱くのかな」

と言った。南海子は男に視線をやった。卑猥《ひわい》な意図があるわけでも、もちろん嫉妬するふうでもなく、男はただ知りたがっているようだった。

変なひと、と南海子は思う。私より年下だろうけれど、すごく若いということもない。たぶん二十代後半だ。それなのに、無防備に甘えてみせることもあれば、ぎょっとするほど老けきって見えることもある。たとえばいまのように。

男はしゃがんだまま、南海子の答えを待っている。蛍光灯の光のかげんか、男の目はつや消しをかけたように平板に黒い。すべてを吸いこんでしまいそうにも、大きなエネ

ルギーを発散しそうにも感じられる、ブラックホールみたいな目で南海子を見ている。

「なんでそんなこと知りたいの」

南海子が質問で返すと、男は膝に置いていた腕に顎を埋めた。

「あんたのことが気になるから」

男は目もとに笑いの気配を刻んで、南海子を流し見た。嘘ばっかり、と南海子は思った。

「ま、いいや。満足してる女が、わざわざ俺に会いにくるわけねえもんな」

男は敏捷《びんしょう》に立ちあがり、ハンガーにかかっていたモスグリーンの作業着を着た。南海子が使ったタオルを拾い、流しですすいでから肩に引っかける。

「俺、もう出るわ」

「鍵は」

「かけないで適当に帰ってくれる。どうせ盗《と》られるもんないし」

スニーカーを履く男に、南海子は言った。

「夫はたまに、指先にキスする。さっきのあなたみたいに」

男は肩越しに一瞬南海子を見、すぐに顔をドアのほうに戻した。

「じゃあ、おしゃぶりが大好きな三人ってわけだ」

笑いを含んだ声だった。

部屋に残った南海子は、外階段を下りる男の軽快な足音を聞いていた。それが完全に聞こえなくなると、押入の襖を開ける。わずかな着替えと古ぼけた掃除機のほかは、ほとんどなにも入っていない。流し台の下の棚もからっぽ。吊り棚にはアルミの片手鍋がひとつ。まな板も包丁すらもない。部屋で唯一の窓は東向きで、隣家の外壁に面積の大半が塞がれている。その代わりのつもりか、いつ来てもコンロのうえの換気扇がまわっている。

蛍光灯からぶらさがった紐《ひも》を引いて明かりを消し、アパートを出た。街灯のほとんどない、暗い道を歩いているのは南海子だけだ。

鋼管通りに出たところで、港のほうから川崎駅行きのバスが来るのが見えた。ちょうど車道の信号が赤になり、南海子は横断歩道を走って渡った。

吐く息が白く漂い、マフラーを湿らせる。甘いような男のにおいが、肌と服から立ちのぼった。

椿を寝かしつけ、居間のテーブルに放ったままだった洗濯物を畳む。

テレビでは夜のニュースをやっている。景気対策について答弁する政治家。殺人事件。温暖化のためか狂い咲く桜の花。南海子は耳だけで話題を追い、黙々と手を動かした。

「次は愛らしい赤ちゃんの登場です」というキャスターの声に気を引かれ、視線を上げる。テレビ画面には、双子のパンダの赤ん坊が映しだされていた。白黒の毛が生えそろい、固まってうずくまっていたりじゃれあったりする二頭の姿は、よくできたぬいぐるみのようだ。母親パンダが、大きな手でわりあい乱暴に我が子を転がしている。子パンダは転がされてもめげず、母親の足にまとわりついている。

かわいいなと思ったので、南海子は笑った。笑顔は二秒とつづかなかった。

椿は自分の意思を、たどたどしい言葉で伝えようとする。でも、意味が通じないことも多い。子どもなんてそんなものなんだろうか。それとも椿が特別、言葉が遅いうえに融通の利かない馬鹿な子なんだろうか。どうして知りあいの母親たちが、余裕をもって子どもと接することができるのか、南海子にはわからなかった。

南海子はかつて会社で働いていたときも、新入社員が苦手だった。仕事の流れをまったく知らず、教えても教えてもしばらくは同じまちがいをする。私もそうだった、新入社員が仕事に関して白紙の状態なのはあたりまえだ。自分に言い聞かせても、いらいらしてたまらなかった。

新入社員が仕事を覚えはじめれば、南海子の苛立《いらだ》ちも嘘のように消え、冗談を言ったり昼食をともにしたりできるようになる。

言葉の通じないものが現れると、不安と憤りで息が詰まった。南海子が指示しないと動けない。そのくせ、主張だけはちゃんとある。すべてを自分でこなすか、黙って言うことを聞くか、どちらかにしてくれと思った。相手が新入社員なら、そんな状態も数カ月の辛抱だが、我が子の場合はどうなる。成人するまでとして、あと十五年以上もある！

「かりかりしすぎだ」と夫は言う。「きみは椿を思いどおりに動かそうとしすぎる」と笑ってなだめる。ほとんど一日じゅう幼児と一緒にいて、家事をして母親仲間と話を合わせて。そんな生活をしてみてから言ってほしい。南海子はそう思うが、「そうね、そうかもしれない」と答える。

外に出て働くのはもういやだ。夫はそれなりに稼ぐ。椿のことだって、もちろんかわいい。だからなにも問題はない。ないはずだ。

タオルや下着を小さく折っていると、いつも頭の芯が痺《しび》れてくる。どうせまた広げて使うんだと考えると、叫びたくなる。折り畳んで、ずっと引き出しから取りださずにすむのならばまだしも。

もののない部屋で一人過ごす、夕方に別れたばかりの男のことを考えた。あのひとはいったい、なにを喜びに、なんのために日々を暮らしているんだろう。適度に欲望が満たされ、食いっぱぐれのない最低限の稼ぎがあれば、ほかはどうでもいいんだろうか。名前もろくに知らない女の求めに応じるのも、あのひとにとっては気まぐれに味わえる都合のいいスリルなんだろうか。

男の真っ黒な目と、低くかすれた声が紡ぐ無邪気な問いかけを思い浮かべる。たぶんあのひとは、と南海子は思う。不毛を知らないのだ。繰り返し繰り返し自分以外の人間の衣服を畳みながら、小さな希望と目標を見いだしてなんとか生活を維持する。そういう必死な不毛と無縁なのだ。

あんなに持ち物が少なかったら、自分の服だって畳む必要はないでしょうね。南海子は口もとに笑みを刻んだ。稼ぎも少なそうだし、本当になにが楽しくて生きているのかわからないひと。でもその自由な感じがいい。

畳んだ洗濯物を箪笥にしまい、押入からアイロンを出した。夫のシャツや椿のハンカチに、皺がひとつでもあるのは許せない。アイロンがあたたまるのを待つあいだ、テレビを眺めた。もうニュースは終わろうとしている。九時過ぎに帰ると言ったのに、夫は遅い。

立ててあったアイロンに手の甲が軽く触れ、南海子は「あっ」と声を上げた。最近のアイロンはすぐ熱を宿すのに、いつもうっかりしてしまう。台所に立ち、流水に手をさらす。少し赤くなっているだけだ。南海子は水を止め、みそ汁の鍋が載ったコンロのつまみをひねった。椿と夕飯を食べ終えてから、もう何度目だろう。しつこくしつこくあたため直す。

外廊下で足音がし、ついで玄関の鍵がまわった。

と夫は言って、重い鉄製の玄関ドアを音を立てずに閉めた。

「ただいま」

「おかえりなさい。ご飯は？」

「いや、残業が長引きそうだと思ったときに、ちょっとつまんだ」

夫は脱いだコートをハンガーに通しながら、青白いガスコンロの火を見た。「けど、軽くもらおうかな」

夫がハンガーを玄関脇のフックにかけ、洗面所に行っているあいだに、南海子はおかずをレンジに入れた。川崎の駅ビルで買った、安売りのメンチカツだ。キャベツの千切りを添えて皿に盛る。

夫は新婚当初から、南海子が買ってきた惣菜《そうざい》を夕飯に出してもなにも言わない。「今日はちょっと作る時間がなくて」と言い訳を考えていた南海子は、拍子抜けしたものだ。幼児教室で知りあった母親のなかには、出来合いのおかずを出すと夫が不機嫌になる、と言うものもいる。「専業主婦なんだから、料理ぐらいはしないとね」と、仲間内で頻繁にレシピを交換する。「わりと簡単なの」と言うからどんな料理かと思ったら、鶏の腹に詰め物をしてオーブンで焼くのだそうだ。「ホームパーティーのときなんかに最適」と言われ、曖昧に笑うしかなかった。

ホームパーティーという言葉を南海子は発したこともないし、鶏がまるごと入るオーブンなど、この団地のどこを探してもない。目の前を行き交うメモを黙って見つめながら、うるさいことを言わない夫でよかった、と南海子は思う。

だが最近では、気づいてもいる。夫は「うるさいことを言わない」のではなく、料理の味などどうでもいいと思っているだけだ。南海子の手料理なのか買ってきた惣菜なのか、もしかしたらわからないのかもしれない。

夫は早くに両親を亡くし、施設で育ったと言った。結婚するときに、それでもかまわないかと南海子に聞いた。もちろん南海子は、そんなことは気にしなかった。どこで育とうが関係ない。南海子だって、ひとに自慢できるような家で育ったわけではない。口には出さなかったが、姑《しゅうとめ》にいじめられることもなく、親戚づきあいの気苦労もないのは、かえってありがたいぐらいだと思った。

南海子の母親は、結婚に反対はしなかったが、忠告はした。「他人と一緒に暮らすのは、ただでさえ大変なんだよ。家族を知らないひとと家族になると、つらいこともあるかもしれない」と。南海子は母親の言葉を一蹴《いっしゅう》した。夫になる男を愛していたからだ。男の心を信じていたからだ。

南海子の夫と何度か顔を合わせるうちに、母親もなにも言わなくなった。「いいひとだね」と安心したように南海子に耳打ちするようになった。だけど母親の言う「いいひと」とは、殴ったり声を荒らげたりせず、きちんとした収入があるひと、という意味だったのかもしれない。

台所の食卓で、夫はメンチカツを食べている。きれいな箸使いでご飯とみそ汁とおかずを均等に腹に収めていく。

南海子はむなしい。夫への愛情が消えたのではない。むなしさの原因は、夫に両親がいないせいでも、夫が施設で育ったからでもない。夫が優しく穏やかで誠実だからだ。声も感情も吸いこむ穴と暮らしているような気がする。

そんなふうに感じる自分がむなしい。

「アイロンをつけっぱなしだった」

と言って、南海子はさりげなく食卓から離れ、居間に戻った。夫のシャツを台に広げ、アイロンをかける。繊維のあいだから、染みこんでいた日なたのにおいが立ちのぼる。

台所で夫が食器を洗っている。薄暗く狭い空間で立ち働く気配がする。居間のテレビではバラエティ番組がはじまった。南海子は音量を少し下げた。スタジオではゲストの女優が、人気占い師に過去と未来を見てもらいながら微笑んでいる。

「あなたは美しい場所で生まれましたね」

と占い師が言い、

「まあ、どうしてわかるんですか」

と女優が落ち着いた声音で答える。司会の男が身を乗りだした。

「篠浦《しのうら》さんは、プロフィールをほとんど公表してませんよね。それもミステリアスでいいんだけど、もっと知りたいなあ。たとえば、その美しい場所ってのがどこかわかりませんか」

占い師は意味ありげに間《ま》をもたせ、

「そういうところで生まれたにふさわしい、力のある守護霊さまがついていらっしゃる」

と重々しく言った。女優はほとんど表情を変えない。貼りつけたような微笑のままだ。馬鹿らしい。南海子はアイロンがけに集中した。往年の名女優の再来などと謳《うた》われて、篠浦未喜《みき》が映画デビューしたのは、もう十五年はまえのことだ。どう計算しても、いまは南海子と同じぐらいの年齢になっている。三十を過ぎた女が、新作映画の宣伝のためとはいえ、「守護霊さま」の話をありがたがって聞くなんて変な世の中だと思った。

風の流れを感じて振り向くと、居間の戸口に夫が立っている。夫はテレビ画面から南海子へ、視線をゆっくり移した。

「ごちそうさま」

「お茶でも飲む？」

夫は「ああ」と答えて居間に入ってきた。ソファに腰かけた夫と入れ替わりに、南海子は台所に立った。それぞれの湯飲みに茶を入れ、また居間に戻る。夫はぼんやりとテレビを見ていた。

「なあに？　あなた篠浦未喜のこと好きだったっけ？」

「嫌いじゃない」

夫は淡々と言い、ソファに置いてあった夕刊をめくりはじめる。なんだか疲れているようだ。湯飲みを夫のまえに置き、南海子はアイロンを手にした。「仕事が大変なの？」と聞いたところで、「それほどでもないよ」と言うだけだとわかっていたから、黙っていた。

「今日も山内さんに、ホームレスをなんとかしてほしいって言われた」

「聞き流しておけよ」

「でも、ほんとに大丈夫かしら。なにか悪いことが起きたりしたら」

「悪いことって、たとえば？」

夫が南海子のほうに顔を向けてきた。いつもどおりの穏やかな表情だったが、目には南海子を試すような、嘲《あざけ》るような光があった。そんな夫ははじめてだったので、南海子は言葉に詰まった。

「大丈夫だ」

と夫は言い、新聞に視線を戻した。「悪いことなんて、そうそう起こりやしないから」

夫の口もとには冷たいほど完璧な笑みが浮かんでいて、南海子は目をそらした。

椿は体操の時間もお遊戯の時間も、ほかの子よりも目に見えて動作が遅い。もじもじと隅っこにいて、友だちに声をかけられるのを待っている。絵を描いてもクラスで一番最後まで色を塗っているし、「どうかな?」と先生に尋ねられても恥ずかしそうにうつむくばかりだ。

「椿ちゃんは繊細なのよ」

と、母親仲間は南海子に慰めを言う。心のなかでは、こんな鈍くさい子が受かる小学校なんてないと嘲笑《あざわら》っているのだろう。

南海子は幼児教室に行くのがますます苦痛になってきた。それでもやめようとは思わなかった。椿の受験まで、時間は少しも無駄にできない。

鈍くさい子だからこそ、エスカレーター式で大学まで行けるところに入れてあげたかった。椿の入学先が決まったら、学校の沿線でマンションを探すことになっている。中古でもいい。そのために貯金もしているし、夫は市役所勤めだからローンを組むことだって簡単にできる。

ぐずる椿を半ば引きずるようにして、南海子は幼児教室に通った。情報収集をしたくて、待ち時間にお茶を飲む母親の輪にもなるべく加わった。

南海子の期待に反して、母親たちはあたりさわりのない会話しかしない。子どもを受験させるつもりなどないかのように、週末に家族で行ったテーマパークや、趣味の習い事についての話題に興じる。

「椿ちゃんのママは？　なにか趣味ってあります？」

にこやかに問われ、南海子は「特には」と答えた。

「たまに軽く汗を流すぐらいです」

「あら、どこのスポーツクラブ？」

鋼管通り近くの安アパート、と言いたかったが、

「家のまわりをちょっと走るだけ」

と笑って済ませた。

腹を探りあい、競争相手に弱みを見せまいと円満な家庭をアピールする女たち。このなかにも、不倫しているものは必ずいるはずだ。でも私ほど、うらぶれた場所でよく知りもしない男と逢瀬《おうせ》を重ねているものはいまい。

南海子は自身の大胆さに満足を覚えた。美しく装う母親たちが決して踏み入ることのできない場所に私はいるのだと思うと、真っ黒な目をした男にいますぐ会いにいきたかった。

椿の手を引いてたどる幼児教室からの帰り道、もしもこの子がいなかったら、と考え

る。夫が帰るまでの時間を、毎日のようにあの安アパートで過ごすだろう。考えるだけだ。実行には移さない。

南海子は娘の手をしっかり握り、向河原駅の踏切を渡った。椿は苦役から解放されたと言わんばかりに、朗らかにずっと歌っていた。青黒く薄闇にのびるアスファルトに、南海子と椿の影が重なりあって落ちた。

椿が持ち帰った絵を、夫は「独創的だな」と言ってうれしそうに眺めた。風呂上がりの椿は上機嫌で、めずらしく寝るまえに帰ってきた父親の膝に座っている。

「どくそうてきってなあに」

「ほかにないよさがある、ってことだよ」

褒められた椿は誇らしげに、その日にあったことを父親に報告した。夫は椿の頭頂部に顎を載せるようにして、娘の話に相槌《あいづち》を打った。たまに膝を揺らしてやると、椿は笑う。

南海子は、夫がまだ片手に持っている画用紙を見た。クレパスで緑に塗られたウサギの絵だ。目は黄色で、水色のワンピースを着ている。耳が長くなければ、ウサギだとはわからない。奇怪な宇宙人のような姿だ。ウサギの背後は、濃淡のある青で幾重にも塗りつくされている。一カ所だけ、歪んだ白い円が塗り残されていて、それはどうやら太陽のつもりらしいのだった。

ほかの子どもは、家族と一緒に庭で遊ぶ絵やお姫さまの絵を描いた。花や木があり、太陽はたいてい、赤い丸から放射状に線がのびた形で表現される。クレパスで塗るだけではなく、色とりどりのボタンや端切れを貼りつけた画面は、明るく楽しい。

「緑のウサギなんていないじゃない」

と南海子は口を挟んだ。「どうして緑に塗ったりするの」

椿は父親の膝から、きょとんと南海子を見上げた。

「あたしねえ、緑色が好き!」

「パパもだ」

と夫は言った。「こんなウサギがいたら飼いたいな。なあ、椿」

「うん!」

緑のウサギなんて気持ちが悪い、と南海子は思った。椿を布団に寝かしつけ、南海子は夫のいる居間に戻った。夫は南海子の手を引っ張り、隣に座らせた。ソファが軋《きし》み、椿の描いた絵が床にすべり落ちた。

「空にあいた穴みたい」

首筋にそっと唇を触れさせた夫の頭を撫で、南海子は言った。「こういうのも独創的って言うの? あの子、大丈夫なのかしら」

夫は床に視線をやってから、上体を少し浮かせて南海子を見た。

「いいんじゃないか。俺は、昼間の太陽が赤く見えたことなんてないけど？」

南海子は目を閉じた。白い光がどこか遠い荒野を照らすさまを漠然と想像した。


椿を幼稚園へ送り届けたあと、南海子が率先して団地の棟まわりを掃いていると、エプロンをつけたままの山内が駆け寄ってきた。

「ちょっとちょっと、大変。昨日の夕方、川部小の女の子が車で連れ去られそうになったんだって。大声出したから通行人が気づいて助かったけど。町内会長さんが、今日から町内会でも通学路の見まわりをしようかって」

「車でってことは、ホームレスじゃなかったんですね」

南海子には嫌味のつもりはなかったのだが、山内はむっとした顔になった。

「逃げたのは若い男らしいよ。でも、ナンバープレートも隠してたっていうから、用意周到じゃないか。川っぺりに住みついたホームレスがうろうろして、町に隙があるから変なやつが来るんだねえ。なんとか早く取り締まって、追いだしてもらいたいもんだけれど」

すみません、と言う義理もなく癪《しゃく》でもあったので、南海子はただ「そうですね」とうなずくにとどめた。

子どもにいたずらするような変質者のせいで、近所の住人との仲がぎくしゃくするなんて馬鹿げている。私はこんなに、こんなに必死になっているのに、なぜうまくいかないの。何度も言った。私は夫に何度も言った。

南海子は会釈することすら忘れて山内の脇を通りすぎ、団地の階段を上った。自宅に飛びこみ、受話器を手にする。

夫の番号にかけようとして、急に興奮が冷めた。

財布だけを手に家を出る。団地の敷地内では、山内が二、三人の主婦を呼びとめてまだしゃべっていた。

「どこ行くの」

最前までの雰囲気など忘れたように、山内が親しげに声をかけてくる。

「買い物です」

と、南海子は振り向きもせずに答え、駅へ向かった。

冬の太陽が低く中天に差しかかっていた。

どこへ行ってなにをしたいのか自分でもわかっていなかったが、南海子は南武線に乗り、川崎を目指した。家路をたどるように自然に、川崎駅から臨港バスに乗る。

アパートのまえに立ってはじめて、本当になにをしているんだろう、と南海子は思った。昼の光のなかで見ると、アパートは朽ちかけた老木に似て、地表にアンバランスに重量をかけていた。

外階段の下でしばしためらい、南海子は結局、もと来た道へきびすを返した。大通りのほうから、男がちょうどコンビニの袋をぶらさげて歩いてくるところだった。

「あれ」

と男は言った。「こんな時間にめずらしい」

南海子が黙っていると、男はあたりを軽く見まわしてから、「まあ上がれば」と外階段を上りだした。

いつもと変わらず、室内にはほとんどものがない。男は敷きっぱなしの布団にあぐらをかき、コンビニで買ってきた弁当を食べはじめた。南海子は埃《ほこり》っぽい黄ばんだ畳に座った。

「今日は早出なんだよね。急に体調崩したじいさんがいて。機械も働いてるやつもポンコツばっかりでさ」

男は勝手にしゃべり、湯気の立つ海苔弁当を見る間に食べつくした。食べ終わると、立って冷蔵庫からペットボトルを出し、茶を飲む。

「だから、あんたの相手してる暇がないんだ」

「そういうつもりじゃなかった」

と南海子はつぶやいた。

「じゃ、どういうつもりだったの」

男は冷蔵庫の扉を閉めて笑った。「あんたさあ、しょっちゅうここに来てるけど、旦那にばれてんじゃないの」

ばれるわけがない。夫は仕事中に電話してきたことなどない。仕事の愚痴も言ったことがない。白く発光する深い穴。

「私の娘、ちょっと変わってるの。落ちこぼれなの」

「へえ。いくつ？」

「今度五歳になる」

「五歳で落ちこぼれって」

男は笑い、着ていた黒いセーターをシャツごと脱いだ。南海子がコートを脱げずにいる寒い部屋を、上半身裸で横切る。

「青い空に白い太陽が浮かんでる絵なんて描く。おかしいでしょ？」

作業着に着替える男の脇腹から背中にかけて、何本かの古い傷跡が走っている。皮膚が裂け、またくっつくときのエネルギーが凝固したように、隆起した筋だ。そこだけ薄くなめらかな感触であることを、南海子は指や舌で知っていた。

ふだんはゆっくり見る暇がない。南海子は着替えをする男の背から、目を離さずにいた。男の筋肉の動きにつれて、白い筋は流れを変える。

「ここは育児相談所じゃないっての」

着替えを終えた男は、「はいはい、出た出た」と南海子を追い立てた。男も鍵をかけもせず外階段を下り、ブロック塀と建物のわずかな隙間から自転車を引っ張りだした。籠の歪んだ古いママチャリだった。

「じゃあね」

と男は自転車に跨《また》がり、鋼管通りのほうへ去っていった。南海子は怒りとも落胆ともつかぬ気持ちをもてあまし、絡まりがちなチェーンの音が遠ざかっていくのを聞く。ため息をつき、男のあとを追う形で道を歩きはじめた。

鋼管通りに出る角のところで、ペダルに片足を載せたまま男が待っていた。

「思ったんだけど」

と男は言った。「あんたの娘が描いたのって、月なんじゃねえの」

ふいを突かれて立ち止まった南海子に、男は柔らかく細めた目を向けた。

「あんたは見たことないだろうな。真っ暗な空に、白くて大きな月が出てるところを。夜の海に月の光で白い道ができる。本当にきれいだ」

男の目は南海子を素通りして遠い夢の世界を映している。黒い目が男の語る夜の海と空そのままに輝きを帯びる。

太陽と月と星は、なにもかもを吸いこむ巨大な白い穴と化して回転する。

耳障りなチェーンの音をきっかけに、南海子はやっと周囲の景色に焦点を合わせることができた。自転車を漕ぐ男の背は、すでに港のほうへ向かって小さくなっていた。

指先がぬくもっているのを感じながら、南海子はバス停へ歩いた。

少し遅くなってしまった。椿が迎えを待っているだろう。南海子は向河原駅前の商店街を早足で抜け、大通り沿いにひまわり幼稚園へ向かおうとした。

行き交う車のエンジン音に紛れ、

「黒川《くろかわ》さん、黒川さん！」

と呼ばれた気がして足を止める。道路の反対側に、団地に住む中年の主婦が一人立っていた。団地へ通じる狭い路地の入口で、南海子を大きく手招きしている。姿を見つけて声をかけただけではない様子だ。南海子は信号が青に変わるのを待って、小走りに横断歩道を渡った。

「なにかあったんですか」

「椿ちゃんが！」

血の気が引くとはこういうことか、と南海子は思った。主婦は南海子と一緒に団地へ走りながら、顚末《てんまつ》を語った。動転した口調であっても、内容を把握することはできた。

南海子の迎えを待つあいだ、椿はひまわり幼稚園の園庭で遊んでいた。そのうち、一人で表へ出たようだ。椿の姿が見えないことに気づき、幼稚園の先生たちは慌てて探しまわった。近くの小さな児童公園で、泣いている椿が見つかった。

「椿ちゃんね、その——怪我をしてるらしくて」

南海子は悲鳴を上げたいのをこらえ、主婦に導かれるまま、震える足でなんとか団地の階段を上った。山内の家のドアを開ける。

「ああ、やっと帰ってきた！」

山内が台所の椅子から勢いよく立ちあがった。

「椿は！」

南海子の声に気づいたのか、奥の居間から椿が出てきて抱きついた。

「ママ」

怪我などどこにもないようだ。南海子は混乱と安堵《あんど》のなかで椿の体のあちこちに触れる。いったいどうしたの、と尋ねようとして、居間に女の警察官がいることに気づいた。

途端に、すべてがわかった。

嗚咽《おえつ》ともうめきとも取れぬ低いうなり声を発し、南海子は椿をかき抱いた。椿は怯《おび》えたように南海子から身を離そうとした。

「椿ちゃん、ちょっとあっちでお姉さんとテレビを見てて」

と山内が言い、警察官が心得て「おいで」と優しく声をかけた。椿は南海子を振り返りつつも、おとなしく居間に消えた。

「座って。まずは落ち着かなきゃ」

山内は頬を濡らした南海子を食卓につかせ、自分も隣の椅子に座った。南海子の家と同じ間取りだが、山内の家の台所は置物やらカレンダーやらでごちゃごちゃした印象だった。ビニールのクロスがかかったテーブルのうえで、南海子は固く両手を握りあわせた。

「幼稚園から、お宅のご主人にも連絡を入れたって。いまは席をはずしてるそうだけど、おっつけ帰ってくるでしょ」

南海子がものも言えず震えているのを見て、山内はため息をついた。

「しっかりなさいよ。警察は犯人を捕まえるために、指紋やらなんやらを調べたいって言って、あんたの帰りを待ってた。椿ちゃんはなにが起きたかわかってないんだ。言葉は悪いけど、母親のあんたがうまく椿ちゃんを誤魔化して、これ以上傷つけないようにしないと」

それからの数時間のことを、南海子はあまり覚えていない。泳ぎ疲れたときのように、肌の内側が熱を持って気だるく、視覚も聴覚も曖昧にしか機能しなかった。

付き添っていた警察官が何カ所かに連絡を入れ、南海子と椿はミニパトに乗って大学病院へ行った。椿は南海子の強張《こわば》りが感染したのか緊張気味だったが、それでも興味深そうに車内を眺めていた。ミニパトを運転する警察官は終始笑顔で、椿に明るく話しかけた。

椿が着ていた服は、下着も含めてすべて警察に渡した。穏やかな顔をした中年の女医が診察室に入ってきて、南海子の見守るなかで椿のまえに座った。南海子が「お医者さんに診てもらおうね」と言うと、椿はなんの疑問も抱かなかったようで、「うん」とうなずく。

「どこか痛いところはあるかな」

と医者が尋ねると、椿は恥ずかしそうに小声で、

「おしっこするとこがちょっと痛い」

と答えた。南海子は表情を変えずに座っているだけで精一杯だった。

「検査するね。痛くないから大丈夫」

医者は慣れた手つきで椿の脚や腰を中心に体液をぬぐい、

「消毒しようか。横になって」

と椿を簡易ベッドに横たわらせた。椿はすくみあがって南海子を見たが、南海子がなんとか笑いかけてみせると、おとなしくされるがままになった。

娘の青白い頬を見ながら、買い物袋も持たずに帰った私を山内さんはどう思っただろうと、南海子はぼんやり考えをめぐらせていた。

夫が病院の廊下を歩いてくる。黒いコートを着て、同じぐらい黒い影を床に這《は》わせて、

近づいてくる。

言葉もなくかたわらに立った夫の顔を見ることができず、南海子はロビーのベンチに座ったままうつむいていた。朝にはつややかだった夫の革靴は、うっすらと細かい埃をかぶっている。連絡を受け、急いでここまで来たのだろう。そう思うと、床に落ちた影の輪郭がぼやけた。まぶたが熱くなり、院内に充満する消毒液のにおいをはじめて鼻が感じた。

膝にそろえて置いた手の甲に、涙が滴った。隣に座る椿に気づかれるまえに、南海子は手を裏返してスカートでぬぐった。その仕草を見下ろしていたのであろう夫は、

「診察は終わった？」

と穏やかに尋ねた。椿が「うん」と答えてベンチから下り、「パパ」と黒いコートの腰あたりに抱きついた。

「帰ろうか」

南海子は、夫の掌が椿の髪を撫でるのを見た。ついでその手は南海子の肩にのばされ、優しくうながす。南海子は立ちあがり、夫と椿とともに病院を出た。

南海子にはバスで帰るという頭しかなかったのだが、夫は病院のエントランスで客待ちをするタクシーに合図した。めずらしい体験にはしゃいだ椿が、開いたドアからまっさきに車に乗りこんだ。こんなときまで倹約して病院からバスで帰らせるのもかわいそ

うだと思い直し、南海子も夫に文句は言わなかった。

タクシーのなかで夫は、「事情はだいたい聞いた」と言った。南海子は思わず身を強張らせたが、それはもちろん、事件を指した言葉だった。

どうしたらいいんだろう。悟られてはならない。いや、悟られるはずがない。自分を支えるのが難しかった。夫の静けさがこわかった。罪悪感と混乱で、気づかれてもいない秘密を口からあふれさせてしまいそうだ。

唇を嚙んだ南海子をどう思ったのか、夫は後部座席で手を握ってきた。夫の指は冷たかった。運命の手に触れられた気がして、南海子は震えた。椿の様子を見るふりで、さりげなく手をほどく。夫はなにも言わなかった。窓の外を眺める横顔に、不審の色は浮かんでいない。それどころか、娘の身に起こったことに対する憤りも哀しみも戸惑いすらも、表情からは読み取れなかった。

夫が家の外ではどんな顔をして過ごしているのか、これまでたびたび想像をめぐらせてきた。その答えをやっと知った、と南海子は思う。

このひとはいつも変わらない。

夫の揺るぎのなさを南海子は愛した。だがそれはもしかしたら、死人を愛するようなものだったのかもしれない。

乗り慣れた通勤電車から見飽きた風景を目に映すように、夫はいま、タクシーに運ばれながら窓の外を見ている。

南海子は団地に戻るとすぐに、山内に礼を言いにいった。顔を合わせたい気分ではなかったが、夫に行ってもらうわけにはいかない。山内はきっと待っている。タイミングが悪かったよ。奥さんもちょうど外出してるときでさ。同情のなかに毒と好奇心を巧みに混ぜて、山内はひとのいい顔で南海子の夫に告げるだろう。そんなことになるぐらいなら、山内との数分を我慢したほうがずっとましだ。

眠ってしまった椿を夫に任せ、南海子は山内の家のチャイムを鳴らした。間を置かずドアは開いた。南海子の予想に反し、山内は「どうだった」とは聞かなかった。

「大変だったねえ」

とだけ言った。情感を極限まで排した、いっそ乾いているとも言える口調が、かえって山内の受けた衝撃と、心から椿を案じていたことを伝えた。山内を物見高いとだけ思ってきた自分を、南海子は少し恥じた。

南海子の沈黙を、山内は疲労と悲嘆によるものと解釈したようだ。声音にやや明るさを取り戻し、

「明日の朝から、町内会のもんが通学路に立つことに決まったから。もう大丈夫」

と南海子を励ました。

南海子はうなずいた。なにも大丈夫ではない。椿はすでに恐ろしい目に遭ってしまっ

た。大丈夫なことなど、なにひとつない。そう思ったが、黙っていた。

「ひどいことをする男がいるもんだね」

ドアが閉まる寸前、山内はつぶやいた。独り言だったのだろう。ふやけたような皺の刻まれた厚ぼったい山内のまぶたが、苦しげに伏せられていた。南海子は団地の薄暗い外廊下に、しばらくたたずんでいた。

各戸の玄関に取りつけられた外灯が、くすんだプラスチックカバーのなかでちょうどいっせいに灯《とも》った。青白く弱々しい蛍光灯の明かりが、コンクリートの通路を灰色に照らしだす。

ひどいことをする男。それはそのとおりだ。でも。

私は夫とセックスをする。見も知らぬ男が幼い椿に強《し》いようとしたことと、同じ行為を。

そうしてできたのが椿だ。私の家族だ。

南海子はぞっとし、自分をとらえた考えを慌てて振り払った。

同じであるわけがない。軽々と南海子をつかみ、体勢を替え、揺さぶる夫の力を南海子は愛する。南海子の呼吸や緊張と弛緩《しかん》に、いともたやすく息を乱す夫を愛する。たとえ行為は同じだとしても、意味合いがまったくちがう。

本当に？

南海子は身を翻し、自分の家へ戻る。夫は居間で夕方の情報番組を見ていた。

親子丼を作ったが、寝室で眠る椿は疲れ果てていたのか、声をかけても目を覚まさなかった。南海子は夫と二人で夕飯を食べた。椿のぶんはラップをかけ冷蔵庫にしまった。冷蔵庫のなかに食材がほとんどないことに、夫が気づくはずはない。わかってはいたが、南海子は扉の開閉をなるべく手早く行った。缶ビールも求められるよりさきに取りだし、二つのコップに注ぎわけた。

「めずらしいね」と夫は言い、「なんとなく」と南海子は答えた。食事中に交わされた会話は、それぐらいだった。

酒をおいしいと感じたことがない。コップ一杯のビールで、南海子の頰は重く熱を宿しはじめた。夫は缶に残ったビールを、からになった自分のコップに注いだ。コップ半分にもならなかった。麦茶でも飲むように思い入れを感じさせぬ角度でコップを傾け、夫はそれもすぐにからにした。

そういえばこのひとは、お酒に強かった。南海子は思い出す。家にいるときは、せいぜい缶ビールを一本あける程度だ。たまに職場の飲み会に出ても、ふだんと変わらぬ様子で帰ってくる。だから、強いという事実そのものを忘れていた。

あまり酒に執着がないのだろう。新婚当初、南海子はそう感じて安堵した。南海子の父親は、よく働きはするが酒癖の悪い男だったからだ。南海子も南海子の母親も、酔っぱらった父親をまえにするといつも、ハムスターのように家の隅で縮こまっているしかなかった。

「嫌いではないけど」

と、南海子の幼いころの話を聞いた夫は言ったものだ。「俺は飲むとよけいに頭の芯が醒めるんだよ。きみのお父さんの酔いっぷりがうらやましいぐらいだ。会ってみたかったたな」

「会えなくてよかったと思う。ひどいもんだったんだから」

南海子が過去の憤りを抑えて冗談っぽく言うと、

「そうかもしれないね」

と夫は笑った。「俺のまわりにも酒飲みは多かったから、なんとなくわかる」

まわりとは、だれのことだったのだろう。夫はすぐに、南海子の首の下からそっと腕を抜き、目を閉じてしまったので聞けなかった。

夫の口から、肉親や生まれた場所に関する話が出たためしはない。交際しているときに、高校までは東京の昭島《あきしま》にある児童養護施設で暮らしていたとだけ聞いた。どういう経緯で施設に行くことになったのか、夫は話そうとしないし、南海子もそれでいいと思っている。楽しく語れる事情があるとも思えない。

「頭の芯が醒めるって、どんな感じ？」

隣で横たわる夫に、南海子は囁きかけた。夫は目をつぶったまま、「そうだなあ」と眠そうにうなった。

「いろんなものが見えてくる」

「いろんなものって、どんな？」

答えはなかった。夜のなかに取り残された気分になって、「わかんないな」と南海子は息を吐いた。

「私はお酒を飲むと、頭がボーッとするけど」

眠ってしまったと思っていた夫が、軽く肩を震わせた。

「そうだな、きみは飲まないほうがいい」

南海子は夫になる男と、合コンで出会った。酔いつぶれた南海子を、ずいぶん飲んだのに顔色も変えなかった夫が介抱したのが、交際のきっかけだ。

一人暮らしのアパートの場所を、南海子は説明することもできなかった。一緒に合コンに参加した女友だちは無情にも、三次会のカラオケにさっさと移動してしまっていた。気を利かせたつもりだったのかもしれない。

夫は困惑していたようだったが、どうしようもなくて、自分の部屋へ南海子を連れ帰ってくれた。夫はきわめて礼儀正しく、南海子を布団に寝かせたのだが、南海子はタオルケットに盛大に嘔吐《おうと》した。

「ふつう、布団で吐くかな」

翌朝、夫はそう言って笑った。開けた窓の外では、洗濯したタオルケットがはためいていた。ちょっと吐瀉物《としゃぶつ》のついた服を着たままの南海子には、かわりにバスタオルがかけてあった。

シャワーと着替えのTシャツまで借りて、南海子はまえの晩にはじめて会ったばかりの男と朝ご飯を食べた。パンとコーヒーと黄身のにじんだ目玉焼きだった。食べ終わると、夫は駅まで送ってくれた。

はじめに大きな失敗をしたから、つきあうようになっても気楽なものだった。いやな顔をせずに、会ってまもない女の反吐《へど》を始末できる男はそういない。物静かすぎるきらいはあるが、優しいひとだと感じた。その直感にまちがいはなかった。

南海子は子どものころから、「早くお嫁さんになりたい」と思っていた。純白のウェディングドレスに憧れたのでも、「パパと結婚して、ママみたいに笑顔でおいしいお料理を作るの」といった幻想を抱いたのでもない。家族から離れる方法を、子ども心に「結婚」しか思いつけなかっただけだ。

酒乱の父親から、忍耐が茶渋みたいにこびりつき徹底した現実主義者と化した母親から、淀んだような家の空気から、早く逃れてべつの場所に行きたかった。まっさらな家族を、自分の思い描くとおりに一から築いてみたかった。

就職して、ますます早く結婚したいとあせるようになった。東京の短大を出て、川崎の小さな建設会社の事務員として五年も働けば、さきは残酷なまでにはっきり見えてくる。会社にいても出世できるわけではない。早く嫁にいって退社してくれないと、若い事務員を雇えないじゃないか。社長以下、男性社員が全員そう思っているのが感じられる。もちろん同僚の女性事務員だって、お局さまの存在など鬱陶《うっとう》しいだけだろう。

夫は夫で、そろそろ独り身に飽きていたのだと思う。高校を卒業してからずっと働くばかりだったのだから、しかもその毎日はまだ三十年以上つづく見込みなのだから、せめて私生活での変化を求めたくなっても不思議ではない。

二人の需要と供給のバランス、そしてタイミングは完全に一致し、一年にも満たない交際期間を経て結婚した。やがて娘が生まれた。幸せだった。幸せの定義がわからなくなる日が来るなどとは、想像もしなかった。

洗い物を済ませ、南海子は居間に移動した。夫がテレビのチャンネルをニュースに替えた。

「どうしたらいいの？」

「なにが？」

「椿のことに決まってるでしょう」

南海子が驚いて少し声を高めると、夫はテレビ画面から南海子に視線を移した。

「いままでどおりに接すればいいだろう」

「そんな、だって」

「椿はまだ小さい。俺たちがふつうにしていれば忘れてしまうよ」

信じられない。そういうことじゃないはずだ。そんなに簡単に、いままでどおりとか、ふつうとか、忘れるとか、できるような問題じゃないはずだ。南海子は納得がいかず、夫から顔をそむけた。

気持ちを落ち着けるために、新聞を手に取ってめくる。テレビから流れるニュースも、新聞の地方版でさえ、椿の事件になど触れない。それは事件にもならない、ただの出来事だからだ。

「信じられない」

と南海子は声に出して言った。「どうしてそんなに平然としていられるの」

「俺が？　そう見えるか」

さすがに夫も言葉に険をにじませたが、ため息ひとつで自分を取り戻し、

「それが一番、椿のためにはいいんじゃないか」

と静かに言った。南海子にというよりは、自身に言い聞かせるようだった。

このひとだって苦しみを感じている。あたりまえのことだ。南海子は呼吸を整え、乱

雑に開かれたままだった新聞を畳もうとした。それに、あまりこのひとを責めて、「きみはなにをしていたんだ。これからどうするつもりだ」と反問されでもしたら終わりだ。なにもなかったように。息をひそめて。ひどいことなどなにも起こらなかったかのように。

呪文《じゅもん》みたいに南海子は胸のうちで繰り返す。よくあること。南海子がしていたことも、夫の態度も、どこのだれともわからぬ男が椿にふるった暴力も、椿が大人になって「そういえばあのとき私がされたのは」と思い起こす記憶も、そんなのはみんなよくあること。だれにも言わず見られず聞かせずやり過ごせば、ないことになってしまうほど些細《ささい》なこと。

夫はニュースを見るともなしに見ている。南海子は新聞のテレビ欄に目をとめた。いまの時間、民放でやっているのはバラエティだ。芸能人がスタジオで本格的な料理を作り、それをゲストに振る舞う番組だ。テレビ欄にはゲストの名が載っていた。篠浦未喜。南海子は横目で夫をうかがった。さっき夫がチャンネルを替えたのは偶然か？　夫はこれを見ていたのではないのか？

そうだとしたら。夫にとって今日あったことはさして痛みを覚える類《たぐい》のものではなく、ただ思いがけず役所から早く帰れたから、嫌いじゃない女優が出演する番組を見られるなという程度のことだったとしたら。

南海子は身の内で逆巻く大きな波を感じた。それは、見ずにすむようにずっと覆い隠していたものを、ついに押し流し明らかにする怒濤《どとう》だった。

夫は南海子や椿を愛そうと努力している。

夫に二、三回会っただけのころ、「このひとは愛することを知っている」と南海子は思った。眼差《まなざ》しや言動や世界に対峙《たいじ》する姿勢の端々から、それは感じられた。南海子はだれも愛したことのない人間を知っていた。愛さないからだれにも愛されず、愛しかたをいつまでも学べずにいる人間を知っていた。

そんな男ばかり知っていた、と言うべきかもしれない。南海子の父親も、それまでつきあった男たちも、そうだった。なにも考えず、南海子がなにを感じているか想像もせず、形だけ整えておけば満足なんだろうと思いこんで疑いもしない。現実にそれでやっていけるから、なおさら質《たち》が悪い。

いつのまにか南海子も、そういう男に合わせるのが習い性になった。なにも考えず、なにも感じず、整えられた形のなかにいたほうが楽だ。

酒乱の父親にため息をつきながらも「いい父よ」と甲斐甲斐《かいがい》しく世話する娘の役を、「南海子だって満足してるよ。だって俺、優しくしてるもんな?」と冗談半分本気半分に友人へ見栄を張る男のかたわらで「そうね」と鷹揚《おうよう》に笑ってみせる女の役を、従順に演じた。

本当は父親など早く死ねばいいと思っていた。だから無理やりに東京へ出て、父親が入院しても一回も見舞わなかった。本当は男が早く飽きてくれればいいのにと思っていた。だから男とした退屈なセックスを広告の紙の裏に記録して引き出しに溜《た》めた。別れたときに一人で笑いながら読み返し、そのあと全部捨てた。せいせいした。

夫はちがった。いままでの男とはまるでちがった。夫の目と指は注意深く南海子を探り、南海子を優しく撫でるためにあった。夫の唇は繊細に南海子の輪郭をたどり、溝を埋めるための少なく的確な言葉を紡ぐためにあった。

しかし南海子はいつごろからか、気づいてもいた。夫の心と体は過去の愛の記憶を愛するためにあるのだと。だからこその静けさなのだと。

夫は愛することを知っている。その愛の記憶に従い、南海子や椿のことも愛そうと努力している。

南海子はそれが哀しかった。南海子は夫を愛していたからだ。

寝室のほうで細い糸のような悲鳴が上がった。夫が腰を浮かしかけるのを制し、南海子は立った。

「ママ！　ママ！」

寝室の戸を開けると、椿が布団に身を起こして暗い部屋で泣いていた。

「どうしたの？」

部屋の電気をつけ、畳に膝をついて椿を抱いた。「こわい夢でも見た？」

椿は黙ってすがりついてくる。背中を撫でてやりながら、南海子は窓にかかった青いカーテンを見ていた。

「おなかはすいてない？」

椿は首を振る。熱っぽく甘い子どものにおいを、髪に鼻先をうずめて南海子は嗅いだ。

「じゃあ、横になって。目をつぶっていれば、また眠くなるから」

「ママは？」

「大丈夫よ、ここにいる」

南海子は壁際の小さな棚から、絵本を何冊か取りだした。「どれがいい？」と聞くと、椿は「全部」と答えた。今夜なら「一冊にしなさい」と拒絶されることはないと、子どもながらにわかっているのだろう。

「ご本読んで」

椿と並んで布団に横になり、「おやゆびひめ」と「しんでれら」と「しらゆきひめ」を順に読みあげていった。一度、夫が寝室を覗きにきた。椿が絵本におとなしく見入っているのを見て、夫は足音をひそめて居間に戻っていった。

南海子に襲いかかった大波は引き、いまは沖のほうで低く鳴っている。

夫がなんらかの記憶をなぞり懐かしむように南海子や椿に接しているだけなのだとし

ても、南海子は夫と椿をなくしたくない。なくさないために、気まぐれな裏切りは秘密にしてだれにも暴かれないようにするし、次々に目標を設定してそれを家族の支柱にする。

手はじめに、今日のことをどう乗り越えるかだ。

「しちにんの　こびとは　うつくしい　しらゆきひめの　ために　いえじゅうに　はなをかざりました」

南海子は読んだ。椿は小人の家を描いた絵を、いつもと同じく食い入るように眺めた。南海子が次のページへ行こうとしても、「まだ」と押しとどめて長く眺めた。

丸い窓と暖炉のある室内は、野の花で飾られている。七人ぶんの小さな木の椅子と、白雪姫のための優雅な曲線を描く白い椅子。テーブルには焼きたてのパンが盛られた籠。踏み台に乗って、暖炉にかかったスープ鍋をかきまわす小人がいる。部屋の隅では三人の小人が、白雪姫にあげるパッチワークの布団を縫っている。また新しい花を両腕いっぱいに抱え、緑の丘を下ってくる小人が窓の外に見える。陶器の花瓶に注ぐ水を運ぶ小人もいる。そして白雪姫は微笑みながら、掃除の途中で膝をすりむいた小人の手当をしている。

白雪姫の処女膜に空いた七つの小さな穴。

椿の身に起こったことを隠しとおせないだろうか。噂《うわさ》にだってなってはいけない。近所や幼稚園はもちろんのこと、幼児教室では特に。どこから話が漏れるかわからない。もしも受験先に、そんな事件に巻きこまれた子どもだと伝わったら？　共働きや片親の家庭を暗に排除するという噂があるぐらいだ。合格点に達していても、落とされるかもしれないではないか。

こんなことを考える自分が、南海子は情けなかった。だけどしかたがない。椿のためだ。自分のためだ。夫が愛そうとしている家族のためだ。

幼稚園の先生には、それとなく釘を刺しておけば、ことがことだけに言いふらされたりはすまい。山内の口の軽さは心配だが、夕方の神妙な態度からすると、この件に関しては案外良識を発揮してくれそうでもある。

一番の問題は椿だ。さっきだってうなされて悲鳴を上げた。意味はわかっていなくても、されたことを忘れるなんてできるのだろうか。なんの気なしに、友だちや友だちの親に、「知らないお兄さんに、おしっこするとこ触られて痛かった」などと言ってしまうかもしれない。そうなったら終わりだ。

だが、口止めするのもよくない。駄目と言うとしたがるのが子どもだし、もし本当になんとも思っていないとしたら、せっかく忘れたものをかえって呼び起こすことにつながってしまう。

どうしよう、どうすればいい。

混乱とあせりが内側から胸郭を打つ。南海子は自分こそ叫びたいような衝動にかられ、荒くなる呼吸を必死になだめた。

「ねむりひめ」の途中で、椿は寝息を立てはじめた。柔らかい布団を首もとまでかけてやり、電気をつけたままにして寝室を出た。

居間のテレビはもう消されていた。ソファに座った夫は、目を閉じて動かない。寝てしまったのかと思ったが、南海子が隣に腰を下ろすと、すぐにまぶたを開けた。その目の光で、眠ってなどいなかったとわかった。

「どう？」

「寝たみたい」

「そうか」

夫は細く息を吐き、両の掌で顔をこすった。

「あんなにうなされて」

南海子は言った途端に涙がこみあげた。近所の噂になることも受験のことも忘れ、ひたすら椿がかわいそうでならなくなった。

「あの子どうなるの？　私たちどうしたらいいの？」

夫は黙っている。黙って南海子を見ている。南海子を通して、どこか遠くを見る目だ。あの男の目と同じ。遠い夜を見透かす眼差し。なぜそんな目をするの。なぜ、ここにいる私を無視して、知らない場所へ行ってしまうの。苦しくも楽しそうに、ここではないどこかへ。

口を開きかけた夫を制するように、

「忘れることなんてできない！」

と南海子は叫んだ。怒りで喉が焼けた。

「あなたは、悪いことなんて起こらないって言った。でも、起こったじゃない！　どうするの！」

「どうすれば満足だ？」

ほとんど囁きに近い声で、夫は低く言った。唇の端に薄く笑みが浮かんでいた。今度は南海子が黙る番だった。

「殺してやろうか」

夫は顔を正面に戻し、なにも映っていないテレビに向かって言葉をつづけた。「やったやつを探しだして、俺が殺してやる。それできみが満足するなら、いくらでも」

「やめてよ、そんなことしたって」

「無駄だって言いたいのか？」

「あたりまえでしょう」

「じゃあどうして、『どうしよう』とか『どうする』って俺に聞くんだ。助けてほしいから、復讐《ふくしゅう》してもらいたいからじゃないのか」

南海子はソファから立った。夫が不思議そうに南海子を見上げる。ちがうのか？　と言いたげに。青く透明に輝くような夫の目が、雄弁に告げている。

こわがらなくていい。簡単なことだ。簡単で、当然のことだ。

南海子は後じさりし、居間の敷居を踵《かかと》で感じた途端、まわれ右して駆けだした。靴を履くのももどかしく玄関から飛びだす。

あれはだれ？　私が夫だと思ってきたあのひとは、いったいだれなの？

白い息が視界を歪ませる。団地の敷地内を走りぬけ、気がつくと多摩川の土手に立っていた。対岸のマンションの明かり。工場の煙突でまたたく赤い光。

濡れた頰に川風が触れ、ひりつくように痛い。震えが止まらない。コートも着ずに出てきたせいだ。空には早春の星が散らばっていた。夫の目に宿った光と同じ色。死者の眼差しじみた青白さで遠くから降り注ぐ。

夫がどこから来たのか、知ろうとしなかったことを南海子は悔いた。

あのひとはたった一人で、どこかからやってきた。そしていまも一人きりで、なにかを抱えひっそりと生きている。日常に埋没するために、家族を愛し勤勉に仕事をするふりをして、でも抱えたなにかで腕がふさがっているからうまくいかない。

黒々とした川面《かわも》を南海子は見つめた。

夫は本当に、私がなにを求めているのかわからなかったんだ。愛し、頼りにする相手と、ただ話しあいたい。相談したい。大丈夫だよと抱きしめてほしい。そういう気持ちが。

夫をこわいと思った。南海子がうなずけば、夫は復讐を実行に移しただろう。猟犬のように素早く忠実に。

通い慣れた職場への道順をたどるときと、まったく同じ表情で。

つけたままだったエプロンのポケットに両手をつっこむ。吐く息は白くけぶって川と同じく海のほうへ流れる。靴の下で土手に敷かれた小石が鳴った。

どうしてこんなところにいるんだろう。生まれた場所から遠く離れて。気がつくと一人きりで夜のなかに放りだされている。あのひとも、私も。小さな椿すらも。

「南海子」

名前を呼ばれて振り向くと、土手の階段を夫が上がってくるところだった。夫は、セーターやコートで着ぶくれた椿と、南海子のコートとを腕に抱えていた。

夫の腕のなかで眠そうに目をこすっていた椿が、南海子の姿を認めて笑顔を見せた。

南海子のまえに立った夫は、コートを差しだした。南海子は動かなかった。夫は椿を地面に下ろそうとして、靴を履かせ忘れたことに気づいたようだ。茶色い健康サンダルをつっかけた自分の両足の甲に、椿を立たせた。安定の悪さに椿は声を上げて笑い、父親に両腕でしがみついた。

「風邪ひくぞ。帰ろう」

と夫は言い、持っていたコートを南海子に着せかけた。南海子は間近に迫った夫の顔を眺めた。

「言えないことがあるのね」

かすれた声で南海子は聞いた。

「——あるな」

「私には？」

と重ねて問うと、

「いや、だれにも」

と夫は答えた。「きみだってあるだろう」

ある。だが南海子は、それを言ってしまいたくなった。明かして、楽になって、それでもあなたを求めているのは本当だと言ったら夫はどうするだろう。

夫は、椿から目を離した南海子を責めてはいない。どんな事実を明かしたとしても、今後も責めることはないのだろうと思われた。かわりに、試すことも試されることも拒絶する表情をしていた。

再び椿を抱えあげ、夫は団地へと土手を引き返していく。

だから南海子は、なにも言えなかったし聞けなかった。椿の背中を支える夫の手は、あいかわらず冷たそうに白く闇に浮かぶ。

触れあえばぬくもることもあるとわかっていたが、南海子はその手を取るのをためらった。今度はコートのポケットに両手を入れて、影を踏んで黙々と歩いた。

振り返ると多摩川は、ゆるくカーブを描き、海へ向かう水を静かにたたえていた。

三

金属の重く打ちあわさる音が頭のなかでくぐもって反響し、振動が足から伝わって下腹に痺《しび》れをもたらす。

金型《かながた》どおりにプレスされ、コンベアを流れていくフレームを、輔《たすく》は立ったまま眺めていた。たまにノギスで、フレームが指示書の精度を保っているかどうか確認する。目視と勘と計測値からして、プレス機はいまのところ問題なく稼動している。

制御盤から手を離し、次々に部品を生みだす単調な機械の動きをただ眺める。どう組みあわさって、どんな働きをするものなのか、ちゃんと想像してから仕事をしろと磯崎《いそざき》は言う。輔は興味がなかった。そんなことは設計者や金型を作るものが考えればいい。部品は部品だ。目の前のパーツを、言われたとおりのサイズに仕上げる。誤差があるなら、原因を探してプレス機を調整する。そういう作業が輔には向いていた。

どんなに全体に思いめぐらせてみたところで、小さな部品一個をカメラやパソコンや自動車のどこに組み入れればいいのか、輔にはわからない。街でカメラやパソコンや自動車を見ても、輔が作った部品がどこに使われているのか、だれも、輔本人ですらも、気にしない。

想像なんてするだけ無駄だ。

音と振動に身を委ねていると、不思議な浮遊感に襲われる。低い轟《とどろ》きと逆巻く波音。地響き。想像の余地などいっさいなかったあの夜に帰る気がする。だから輔は工場から離れられない。あちこちを転々として、いつも結局、機械が重くうなりを上げる工場街にもぐりこんでいる。

プレス機を見守るふりでぼんやりしていたから、磯崎が隣に立ったことにしばらく気づかなかった。腕をつつかれ、驚いて身を引く。磯崎のほうも輔の反応に驚いたようだったが、「客」と書いたメモの切れ端を見せ、顎をしゃくった。輔が目で問うと、「行け」とぞんざいに手を振る。

軽く頭を下げ、プレス機のまえを磯崎に譲った。輔は五十絡みの磯崎が少し苦手だ。温厚で面倒見のいい男だと、わかっていても体がすくむ。部品が全体のなかに埋没してひそかに運動するように、磯崎もたとえば家では妻子を殴っているかもしれない。隠れた部品はだれに見られることもなく、しかし確実になんらかの事象を引き起こす。磯崎も輔には見えない場所に、そういう部品を隠し持っているかもしれない。

錆色《さびいろ》の大型機材が並ぶスペースを足早によぎり、シャッターを開け放したままの搬入口から表へ出た。耳栓を取り、オレンジ色の街灯に照らされた道を見まわす。建ち並ぶ工場のほとんどは、まだ明かりと機械の稼動音をこぼしている。産業道路のほうから、日が暮れていっそう激しくなったトラックのエンジン音がひっきりなしに聞こえる。オイルと薬剤と潮のにおいが混じった、工業団地の夜だ。

街路樹が申し訳程度に植えられた狭い歩道に、信之《のぶゆき》が立っていた。輔はだらしなくゆるもうとする唇を、頰の内側の粘膜を嚙《か》むことでとどめた。輔が歩み寄るのを、信之は動かずに待っている。黒いコートを着て黒い鞄《かばん》をぶらさげた姿は、工場が落とす影のなかに半ば以上沈んでいる。

「どうだった？」

信之のまえに立ち、輔は尋ねた。二人の背は同じぐらいになり、顔立ちからは等しく丸みが失せた。それでも輔は信之から、子どものころの面影を見て取ることができる。冷えて暗い海の底で、人知れずとぐろを巻く熱。

信之の目に映る俺はどうだろう。変わったか？　輔は薄く笑った。

「妻には聞かなかった」

信之は表情を変えず答えた。

「どうして」

「昨日はそれどころじゃなかった」

鞄を重そうに持ちかえ、「それに」と信之は唇の端を歪《ゆが》める。笑いかけられたのかと輔は思ったが、それは痙攣《けいれん》のようなものだったらしい。すぐに消えた。

「聞いたって無駄だろ」

「どうして。あんたの奥さんは聞いてほしがってるんじゃないかな」

信之はあきれたと言いたげに、あるいはまどろっこしさに苛立《いらだ》ったのかもしれないが、軽く目をすがめた。コートの首もとからのぞく、ワイシャツの襟ぐりがくたびれていた。

「浮気したのかと聞かれて、素直にしましたと答える人間がいるか？　なにが目的なんだ。早くしてくれ」

そういう意味で言ったのではない。あんたの奥さんは話を聞いてほしがっているのではないか、と言いたかったのだ。あいかわらずだ。信之の冷え冷えとした魂に触れ、輔は身震いした。寒い日に熱い風呂に入ったような、快感に似た痺れと心臓の収縮を覚えた。

「金だよ」

なるべく平板な声を心がけ、輔は言った。「あんたたちの娘、私立を受けるんでしょ。不倫とかばらされたら、まずいんじゃないの」

「どうでもいい」

信之の態度は途端に素っ気なさを増した。軽蔑、嘲《あざけ》り、哀れな野良犬への遠巻きな観察。ずっと昔、信之が輔に浴びせかけつづけた懐かしい目の色だ。

「そういう話なら、妻に持ちかけたらどうだ。どっちにしろ、おまえに渡るのは俺が稼いだ金だが」

輔の横をすりぬけ、信之はひとけのない道を産業道路のほうへ歩いていった。輔は体を反転させ、去っていく信之の背中を眺めた。人工的なオレンジの光が、信之の影を花びらのように地面に放射している。

「待てよ！」

輔は声を張りあげてから、信之を引きとめられそうな話題を探した。「昨日、なんかあったの」

「おまえには関係ない」

信之は一瞬、輔に横顔を向けた。「もう職場には連絡してこないでくれ」

「じゃあ、どこに連絡すりゃいい」

「どこにも連絡してくるな」

輔は、歩道に積もったまま土になりかけた落ち葉を蹴飛ばした。うるさく機械音が鳴りつづける工場へ戻る。工場には摩擦熱と鉄の焼けるにおいが充満している。それらは血の温度とにおいを連想させる。

耳栓をすると、機械音は懐かしい潮騒《しおさい》に変わった。

深夜シフトが終わり、自転車に跨《またが》って浅野町《あさのちょう》の工業団地を出た。朝の道路からはトラックが減り、かわりに乗用車が早くも渋滞を形づくりつつあった。

横羽線《よこはねせん》の高架下に沿って産業道路を進むあいだも、右折して鋼管通《こうかんどお》りへ入ってからも、輔は信之のことを考えた。会いたい会いたいと願いつづけた相手は、ほぼ二十年ぶりに輔と顔を合わせても感情を動かさなかった。予想はしていたことだったが、悔しさか怒りか興奮かわからぬ思いがこみあげ、輔の足は必要以上の力を宿してペダルを漕いだ。

輔はどの町で暮らしているときも、定期的にネットカフェへ行った。「黒川《くろかわ》信之」とパソコンに入力して検索をかける。ヒットする数は拍子抜けするほど少なく、そのどれもが輔の知る信之ではなかった。

名字が変わった可能性を思わなかったわけではない。信之が平穏で幸せな生活を送っている姿は想像できなかった。したくなかった。輔は島にいたときも島を出てからも父親に殴られた。両親を亡くし、輔以上に環境の変化があった信之が、輔よりも不幸にならなかったはずはない。きっと信之は、信之を引き取った親戚の養子になって、あるいは親戚に捨てられて養護施設に入り横暴な金持ちの養子になって、冷たい扱いを受けているにちがいないと夢想した。

同時に輔は、信之の名字が変わった可能性から、巧妙に目をそらしてもいた。矛盾していると自分でも思った。だが、信之が黒川信之でなくなってしまったとしたら、もう絶対に探しあてられなくなる。それは耐えられなかった。細い糸をたぐるように、輔は週に一度、「黒川信之」とパソコンに入力した。落胆の笑いに肩を震わせる輔を、通路を通りかかった客が気味悪そうに見ていたこともあった。でもやめられなかった。黒川信之。黒川信之。黒川信之。

決して届かぬ手紙を送りつづける愚かさに似て、何度その名をパソコン画面に表示させただろう。

輔が信之の消息を知ったのは、まったくの偶然からだった。

そのころ長野のプレス工場で働いていた輔は、夜勤明けに行きつけの定食屋へ寄った。早朝から深夜まで営業し、酒も出すから、その朝も店は工場の作業員と仕事を終えたタクシー運転手らしき一団でほぼ満席だった。

輔はカウンターの隅に陣取り、注文を通すと、新聞やら雑誌やらが入ったラックへ目をやった。目当てのスポーツ新聞は、すでにだれかが持っていったらしい。店内のテレビは競馬情報番組にチャンネルが合わせてある。賭事《かけごと》には興味がないのでしかたなく、めったに読まない全国紙を手に取った。何日かまえの日付だった。

定食を食べながら、つまらない思いで新聞をめくっていた輔は、写真入りの記事を見て箸を止めた。「工業地帯の緑化計画」と題されたそれは、自治体の取り組みを紹介する特集のようだったが、本文はまともに読まなかった。

粗く印刷された写真に、信之が写っていた。公園に立った信之は、半身をこちらに向け、記者に対してなにかを説明するそぶりで前方を指し示している。事務的な微笑を浮かべた顔は、勤勉な清潔さだ。公園の奥で、港にあるような大型クレーンが何本も、行き場を失った恐竜みたいに哀しげに首をもたげている。写真の下には、「臨海公園を案内する川崎市職員の黒川信之さん」と書いてあった。

川崎、とつぶやいた。カウンターの隣にいた中年男が赤ら顔で、「兄ちゃん、煙草ないか」と聞いてきた。「俺ももらい煙草専門」と答えると、男は輔の肩を叩《たた》き、冷や酒の入ったコップを傾けた。

川崎に行ったことはなかったが、海があるのは知っていた。食べ終えた定食の盆をカウンター越しに店員に渡し、新聞を畳んでラックに戻した。

夕方に出勤した輔は、工場を辞めると上司に申し出た。上司は残念そうだったが、職場を渡り歩く工員は多いので、強《し》いて引き止められはしなかった。

輔はすぐにアパートを引き払い、ほとんど身一つで川崎にやってきた。いつものことだ。働きだしてから何度も、輔は居場所を変えた。だれとも必要以上に親しくならず、与えられた仕事を黙々とこなし、その土地の空気に飽きたら後腐れなく移動する。今回も同じだ。景気が悪いといっても、十年近くプレス工の経験がある若い輔は、いくらでも新しい職場を見つけることができる。浅野町工業団地の、従業員が十人しかいない小さな金属プレス工場に採用された。

大小の運河に隔てられ、碁盤の目のように広がる川崎港の工業地帯。無機質な埋め立て地に無駄なく建てられた灰色の工場群。護岸に打ち寄せる運河の暗い水面《みなも》を眺め、輔は深く呼吸した。なまぐさい潮の香りがした。海に戻ってきたのだと感じた。

あの夜、ついに訪れなかったなにもかもをさらいつくす大波が、今度こそやってくる。川崎に来たときに抱いた確信は、一年経ってやっと信之に会った今日も、薄らぐどころかいや増している。信之の無関心も無表情も、輔を駆り立てる燃料だ。

輔は鋼管通りにあるコンビニで海苔弁当を買い、蓮華《れんげ》荘の一室に帰りついた。黴《かび》くさい部屋で弁当を食べ、中学校に登校する生徒の声を聞きながら布団に寝そべる。

ここで抱いた女の顔と体が思い浮かんだ。いつも怒りとも怯《おび》えともつかぬ感情をひそませて現れ、そのくせすぐに甘えと快楽に沈む女。輔は信之の妻が嫌いではなかった。純然たる欲望供給器になるのは楽だった。

どうせすぐに接触してくる。信之も、信之の妻も。

輔は目を閉じた。

桜が咲き、散り終えた。

信之はなにも言ってこなかった。信之の妻も、アパートに来なくなった。輔はあせりを覚えた。つながった糸が音もなくほどけて溶けていく。

信之が本当に、輔を視界に入れるのも輔と言葉を交わすのもいやがっている、ということだけはわかった。だが、信之の妻が急に姿を見せなくなったのはなぜだろう。なんていったっけ、と輔はプレス機を調整しながら考える。そうだ、ナミコだ。「南の海の子と書くの」と南海子が言ったとき、輔は内心で笑った。信之がこの女を選んだ理由の一端が見えた気がした。

曜日は定まっていなかったが、南海子は週に一度は必ずアパートを訪れた。多いときには二度。それなのに、もうずいぶん訪《おとな》いがない。輔が川崎市役所に電話し、呼びだしに応じた信之が翌日の夜に工場へ来てからだから、一月《ひとつき》は経つ。

信之が妻の浮気をたしなめた。単純に考えればそういうことなのかもしれないが、それはないだろうと輔は思った。もし信之にそんな情熱、情熱と言っておかしければ妻への関心があるのなら、南海子は輔に抱かれにきたりはしなかったはずだ。

南海子と親しくなるのは簡単だった。

輔は川崎での生活をはじめてすぐ、港湾局に電話した。ホームページで組織図を調べておいたから、部署の推測はだいたいついた。適当な名を名乗って、「黒川信之さんをお願いします」と言い、電話が切りかわるまで息を詰めた。そんな人間はいないと言われたり、信之に取り次がれたりしたら無言で切ろうと思っていたが、女の声は平板に、「黒川はただいま席をはずしております」と言った。当たりだ。速くなった鼓動にほとんど耳を塞がれながら、「かけ直します」と答えた。

もちろん、その日に再び電話などしなかった。信之の居場所がつかめればいい。輔はシフトが休みの日の夕方に、川崎市役所のまえに立った。いつまで待っても、役所から出てくるひとのなかに信之はいなかった。俺が信之の顔を見過ごすはずがないと思い、もしかしたら新聞に出ていた黒川信之は別人か幻覚だったのかもしれないとも思った。

市役所の表玄関はとうに閉まった。不安と期待に苛立ちながら待ちつづけ、やっと信之を見つけたのは深夜といってもいい時間だった。遠目でも、どれだけ年月が経っても、信之だとすぐにわかった。通用口から出てきた信之は、通りの反対側の薄闇に立つ輔には気づかず、川崎駅へ向かった。輔は距離を置いてあとをつけた。

南武線に乗っているあいだも、向河原《むかいがわら》駅で降りて古ぼけた団地へ歩くあいだも、叫びたい気持ちを必死に抑えた。「ゆき兄《にい》ちゃん」と声をかけ、ひさしぶりだねと言いたかった。でもこらえた。こらえて、目だけ光らせながら信之の背中を追った。

信之の住まいをたしかめた輔は、アパートに帰って眠られぬ夜を過ごした。信之が入っていったドアの向こうからは、女の子の声がした。結婚して子どもがいる。泣きたいのだか笑いたいのだかわからなかった。

信之は幸せなのだ。

翌日から輔は、時間があるかぎり信之の住む団地へ行った。あまり近づくと怪しまれるから、近所の住人のふりをして通りやコンビニをうろついた。信之の妻子の顔はすぐにわかった。行動半径も生活も。

信之の妻は、娘に向かって微笑《ほほえ》んだり声を殺して怒鳴ったりした。幼稚園への送り迎えや、スーパーでの買い物のさなかに。信之の娘は、母親に向かって歌ったりむくれたりした。隣駅の幼児教室への行き帰りに。

輔はそれを見ていた。

夏の昼下がりに武蔵小杉《むさしこすぎ》駅の喫茶店で、信之の妻は幼児教室の母親連中とテーブルを囲んでいた。輔は壁際の席で会話に耳を傾け、壁に貼《は》られた鏡越しに信之の妻の表情を観察した。

信之の妻は言葉少なに聞き役にまわり、硬い笑みを唇の端に浮かべている。こなれない女だと思った。中学生じゃあるまいし、適当に合わせておけばいいものを。いや、本人は合わせているつもりなのだろう。感情を隠しおおせない不器用さに、本人だけが気づけない。だから周囲から浮く。

この女の厚い殻のなかにたっぷり溜《た》まった甘い液を、信之だけが啜《すす》るのか。だとしたらいい趣味だ。頑《かたく》なで臆病な震えの合間に、女の退屈と怠惰が透けて見えた。いける、と輔は思った。

信之の妻は、なにやら理由をつけて代金をテーブルに置き、さきに席を立った。輔はさりげなくレジに向かい、やや間《ま》を置いて喫茶店を出た。武蔵小杉駅のコンコースを、信之の妻は怒ったように早足で歩いていく。輔は追いつき、「ねえ」と声をかけた。

「さっきの店で聞いてたよ。いろいろ大変そうだね、あんな奥さんたちの相手をすんのは」

輔は邪気なく笑ってみせた。突然のなれなれしさに警戒と拒絶をにじませていた雰囲気が、少し解けた。信之の妻は無言のまま顔をそむけたが、輔は意に介することなく歩み去った。はじまりはそれで充分だった。

三日後に、幼児教室へ娘を送った帰りを待ち伏せした。

武蔵小杉駅と向河原駅のあいだには、大企業の近代的なビルと工場がある。荒野に突然建てられた塔といった感じで、町の景色にそぐわない。整備された道にはひとけがなかった。信之の妻は、夏の日射しのなかをうつむきかげんに一人で歩いてくる。輔は夕イミングを計って、ビルの陰から道に出た。

「あれ、あんたさあ」

身をすくませて立ち止まった信之の妻に、輔は笑顔で近づいた。「このあいだ、武蔵小杉の喫茶店にいたひとだよね。すっげえ偶然《こ》」

少しの戸惑いののち、信之の妻は怯えと媚びをないまぜにした会釈《えしやく》を寄越した。

「家、この近くなの？　俺はさ、ここの工場にちょっと用があって」

もちろん嘘《うそ》だ。「プレス工やってるから。プレス工ってわかる？」

輔が繰りだす言葉に気圧《けお》されたように、信之の妻は首を振った。

「そうだろね、あんた、いいとこの奥さんって感じだもん」

うまく自尊心をくすぐれたのを確認し、「これから時間ある？」と輔は聞いた。

「え」

「もう用事は終わったし、暇なんだよね」

「困ります、そんな」

「じゃ、電話番号教えて」

信之の妻は輔を振りきろうと歩きだした。輔はメモ用紙にアパートの住所を書き、追いすがって無理やり手渡した。

「あんたと話してみたいと思ったんだ。気が向いたら連絡して」

信之の妻はメモ用紙に視線を落とした。

「番号が書いてないわよ」

「あー、電話引いてないんだ。すっげえビンボーだからさ」

「本当に？」

輔は女の目を覗《のぞ》きこんだ。

「見にくる?」

信之は輔に、「どうでもいい」と言った。なにも知らない顔をして、南海子と娘といままでどおりに暮らしているにちがいない。信之はまた、「それどころじゃなかった」とも言った。信之の家でなにかが起こったのかもしれない。

少女めいた潔癖さと、ただれて崩れ落ちそうな欲望を併せ持つ南海子の、苦しみに耐えるような表情を思い起こした。南海子に会いにいくことにした。

半年ぶりに降り立つ春の向河原は、薄茶けて埃《ほこり》っぽい午後のただなかにあった。幼児教室の時間が変わっていなければ、娘を送った南海子が通りかかるはずだ。コンビニで雑誌を立ち読みしながら大通りをうかがった。下校していく小学生が見える。「ぼうはん」と書かれた腕章をした大人が、何人か道沿いに立っている。半年前にはなかった光景だ。どこも物騒だなと輔は思い、ストーカーまがいなことをする俺が一番物騒かと一人で笑った。

南海子はやはりうつむきがちに駅のほうからやってきて、大通りの横断歩道で足を止めた。目の前を行き交う車を、見るともなしに眺めている。規則正しい生活。そんなつまんねえことしてるから、俺みたいな男に引っかかる。

雑誌を戻し、腕をのばしてコンビニのガラス窓を叩く。南海子は音に気づいたというよりは、気配を察知したようだった。振り向き、コンビニのなかにいる輔を見て表情を強張《こわば》らせた。

なにごともなかったみたいに南海子は顔を正面に戻し、信号が青になった横断歩道を渡っていく。輔はコンビニから出て、のんびりとついていった。南海子は団地へは戻らず、多摩川の土手へ出た。散歩する風情を装っているらしいが、殺気にも似た緊張が背中からあふれていた。

輔は堤防のうえに立った。整備されたサイクリングコースと緑の斜面。大きな川だ。美浜島には湧き水と沢のほかに水の流れがなかったから、輔は川を見るのが好きだった。信之が海に近い川べりの町を住処《すみか》にしたのも、同じ理由なのかもしれない。

南海子は土手の中腹に座っていた。落ち着きなく草をちぎっている。輔は南海子の斜め後方にしゃがんだ。声は届くが、端《はた》から見たら連れなのかどうか判断に迷う距離だ。

「なんで来ねえの」

南海子は黙っている。輔はなおも探りを入れた。

「旦那にばれた？」

「夫はなにも知らない」

知ってるんだよ。あんたのことは「どうでもいい」ってさ。輔はほくそ笑む。

「じゃあいいじゃん。来なよ」

「もう会わない」

「なんで？」

自分でも驚くほど柔らかい声が出た。南海子が輔を振り仰いだ。目が濡れている。そのまま土手を這《は》いあがってきたので、輔は思わず膝を抱えて身を縮めた。

「椿《つばき》が」

と南海子は、輔の足もとで両手をついた姿勢のまま言った。

「なに？」

「娘よ」

「ああ」

島じゅうの山に咲きほこっていた、不吉な赤い花。どうかしていると思った。そんな名前を娘につける信之も、獣のように輔のまえに這いつくばっている女も。

「椿が変質者にいたずらされた。あなたのアパートへ行った日に」

だからもう会えない、と南海子は苦しみを絞るように言った。輔は見上げてくる南海子の視線を慎重に受け止めた。引き止めてほしがっているのか、「わかった、じゃあね」と言ってほしがっているのか、どちらだろう。いずれにせよ、決断を輔に委ねる、おもねるような色があった。

こうなると思っていた。こうなればいいと思っていた。子どものころから、ずっと。

大きな波がやってきて、すべてを海へさらっていく。

だれかを痛めつけたものは、いつか必ず復讐《ふくしゅう》される。見て見ぬふりをしたものも、暴力の庇護下でのうのうと平安をむさぼるものも、みな例外なく報いを受ける。

「あんたの旦那は、なんて？」

問いはかすれた囁《ささや》きになった。一瞬の間を置き、南海子は首を振った。

「なにも。いままでと変わらない」

「ひどい男だ」

輔は南海子の両手を取り、指先に唇を押し当てた。腕を引かれる形になった南海子が上体を起こす。

「あんたは旦那に、どうしてほしかった？」

「わからない」

南海子の目から、とうとう涙がこぼれた。「わからないわ」

「そっか」

南海子の背に腕をまわして抱き寄せた。輔の喉もとに額を押しつけ、南海子は泣いているらしかった。南海子の背中を優しく撫《な》で、南海子のつややかな髪に顎をうずめながら、輔は声もなく笑った。

対岸のマンションのガラスが午後の光を弾く。

遠く波の音が聞こえるようだ。

どのタイミングで信之に揺さぶりをかければいいだろう。全身の毛穴が興奮でうずくのをなだめ、輔は深夜から昼までつづいた勤務を終えた。

タオルで顔をぬぐう磯崎に、「このあとどうだ」とパチンコに誘われた。「そうですね」と口ごもっていると、ちょうど事務所で弁当を広げていた結子《ゆうこ》が、

「黒川さん」

と顔を上げた。「保険の書類で、ちょっと聞きたいところがあるんですが」

「あー、はい」

気が利く女で助かる。「すみません、磯崎さん。また今度」

「社内恋愛でごたつくのはやめてくれよ」

磯崎は冗談めかして言い、

「そんなんじゃないですよ」

と輔は答えた。ロッカーと書類棚が林立する狭い事務所で、結子と二人きりになった。

「今日の予定は?」

「帰って寝るだけ」

「じゃあ、うちで待ってて。五時に上がれるから」

結子は輔にキーホルダーを投げた。「煮物があるから食べて。夕飯はなにがいい？」

なんでも、と答えるような愚は犯さない。

「ニンジンを豚肉で巻いたやつ」

「気に入った？」

「うん」

結子は微笑み、あとでねと言った。

中島《なかじま》にある結子のワンルームマンションは、いつもどおり片づいていた。ドアを開けた瞬間から、甘いにおいがする。若い女のにおいだなどとは、もちろん思わない。香水かアロマか、どちらにしても今日は輔を呼ぶつもりで準備していたのだろう。

勝手にシャワーを借り、置きっぱなしのスウェットの上下に着替えた。作業着を洗濯機に放りこみ、髭《ひげ》をあたっているあいだに煮物の鍋をあたためる。

煮込み料理の得意な女は重い。経験則としてわかっていたが、断るのも面倒でなんとなくつづいている。じじいの多い職場じゃ、結子も溜まるだろう。お互いに適当に発散できるのだからそれでいい。

おもちゃみたいな小さなテーブルで飯を食い、食器もそのままにかたわらのベッドにもぐりこんだ。替えたばかりのシーツの感触を頬に味わいながら、枕を抱えて眠りに沈んだ。

目が覚めると、枕のかわりに結子がのしかかっていた。部屋はカーテンが引かれ、電気が灯《とも》っている。洗濯した作業着がカーテンレールに吊され、テーブルには夕飯が用意されていた。

「よく寝てた」

と結子は言い、のびあがってキスしてきた。結子はなにも身につけていない。

「気がつかなかった」

と輔は答え、布団のなかで結子の尻をそっとつかんだ。寝ていただけなのに腹が減ったと思ったが、結子はスウェットのウエストに手をかけている。しかたなく体を動かして脱ぐのに協力した。

指を入れると、なんの抵抗もなくのみこまれる。変なもんだなと、たまに思うことを輔はまた思い、濡れた内側を柔らかく撫でた。結子は身を起こし、唾液やらなにやらで唇を光らせて振り返った。

「今日は大丈夫だから」

それで子どもができたら結婚するのか。輔は萎《な》えそうになるのをなんとかこらえた。あんたはなにも知らない。俺は自分の子なんて絶対に愛せない。あんたと子どもを思いきり痛めつけるだろう。いまだってそれを想像して、たたせてるぐらいなんだから。

結子を体のうえからどかし、ベッドサイドに転がした。サイドボードを探ってコンドームをひとつ取り、塩からい結子の唇を舐《な》めながら手早く装着する。

「優しくさせてよ」

と輔は言った。肩を抱かれながら結子のなかに入っていく。視線が邪魔だ。挿入の最後に軽く突きあげると、結子はやっと目を閉じた。気の向くままに腰を揺らす。南海子と寝るときはゴムをつけないこともあったなと考えた。避妊に失敗しても、どうせ信之の子になる。だから生でもやれたんだろう。

俺は信之の女を抱きたかっただけなんだ。

せわしなくなってくる呼吸に紛らせ、輔は低く笑った。

あれはいったいなんだったのか。

月が出ていた。バンガローの客にのしかかられて、美花《みか》の白くしなやかな腕が誘うようにうねっていた。信之が二人に近づいていった。

輔は茂みにしゃがみ、すべてを見ていた。途中で下腹が熱くなってきて、こっそり姿勢を変えた。信之と美花は輔に気づかず、暗い斜面をまえに並んでたたずんでいた。

この世に取り残された最後の二人みたいに、いつまでも。

二人か一人かのちがいだけで、取り残されたのは輔も同じだ。輔に注意を払うものはほとんどいなかった。周囲の人間は多くの場合、見て見ぬふりをしたし、せいぜい、たまに気のないふうで「どうした」と尋ねるぐらいだった。津波が来るまえも、それが去ってからも。

島が暴力でぬぐわれたあとは、どす黒く変色した輔の目のまわりなんて、ますますだれの意識にも引っかからなかった。汚れてうろついていた犬と同じ、単なる染みだ。

内出血の痣《あざ》は熱を持ち、輔を眠らせなかった。痛い。母親が出ていった晩、泣いている輔をぶっきらぼうに慰め、いっしょに眠ってくれたのは信之だ。絶え間ない痛みを訴えたい相手は、輔にとって信之以外にいなかった。

きっとゆき兄ちゃんが慰めてくれる。きっとゆき兄ちゃんが助けてくれる。幼かった夜のように。

信之のあとにつづき、輔は壊れた学校の二階からひそかに抜けだした。死人ばかりの島も夜の山道も怖くなかった。

神社の湧き水の冷たさを思った。輔の左目に押し当てられた美花のハンカチ。信之はあそこでまた美花と会うのだろうか。それとも一人になりたくて歩いているのだろうか。どちらでもかまわなかった。今度こそ信之が、うずく肌に濡れた布を当ててくれるはずだ。それだけを念じて、木々の合間に見え隠れする信之の背を追いかけた。

そこで見た光景が、いつまでも輔の中心を刺す。刺される痛みはいまや快楽にすりかわった。

星が死ぬときの輝きが長い時間をかけて地球に届き、届いたときには星自体は宇宙のどこにも存在しないように。虚空から放たれる過去の光景は、亡霊じみたしつこさで何度も何度もよみがえっては輔を貫き恍惚《こうこつ》とさせる。

本当はとっくに知っていた。気づかぬふうを装っていただけだ。

俺はだれからも求められず愛されない。

雨の音。梢《こずえ》から降り注ぐ海水の音。すっかり潮くさくなった森の葉擦れの音。

薄い壁を隔てて聞こえてくるのが、それらのうちのどれでもないことに気づき、輔はゆっくりまばたきした。テーブルに腕をのばし、テレビのリモコンを取る。

水音がやみ、部屋着を着て頭にタオルを巻いた結子がバスルームから出てくる。ベッドに下半身を残したまま、床に片手をついてリモコンを握っている輔を見て、「なにやってんの」と結子は笑った。

「シャワーどうぞ」

「うん」

輔は身を起こし、ベッドに座り直した。リモコンは結子が拾いあげ、髪を拭《ふ》きながらチャンネルを次々と切り替える。歌番組を見ることに決めたらしい。結子はリモコンをテーブルに戻し、部屋の隅にある小さな鏡台のまえに座った。鏡台には化粧品の瓶がたくさん並んでいる。結子が肌の手入れをしだすと長い。輔は服を抱え、裸のままベッドから下りた。

窮屈なバスルームでシャワーを浴びる。シャンプーの容器はベージュ色のクマの形だ。買ったシャンプーを、わざわざこの容器に詰めかえるんだろうか。変なところに手間をかける女だと、いつも思うことをまた思った。クマの頭頂部についたノズルを押して、掌に白い液体を受ける。

寝袋のなかで美花の指を優しく舐めていた信之を思い出す。あたたかい滴《しずく》に全身を打たれながら、遠い夜に見たもののことを輔はずっと考えている。

服を着てバスルームから出ると、髪を乾かした結子がみそ汁をあたため直していた。空腹はすでに山を越えたが、やることだけやって食べずに帰るわけにもいかない。台所に立つ結子の腰を軽く叩いて脇によけさせ、輔は流しの下から適当な紙袋を見つくろった。生乾きの作業着をハンガーからはずし、畳んで入れる。

「泊まっていったら」と結子が言ったが、聞こえなかったふりをした。テレビ画面では若い女の集団が歌い踊っている。きれいだと思う女はいない。かわりに、うつくしい夜の顔をした美花の姿が、輔の頭のなかで繰り返し再生される。美花は笑っていたようだった。

結子とテーブルを挟んで座った。箸で挟んだおかずを掲げ、輔は聞いた。

「これ、なんて名前の料理」

「ニンジンの豚肉巻き」

「まんまだな」

「しょうがないじゃん」と結子は唇を少しとがらせた。「ちゃんとした名前なんかないよ、家庭料理なんだから」

「ふうん」

そういうものかと、輔は「ニンジンの豚肉巻き」を咀嚼《そしゃく》する。レンジにかけた肉は縮んでいた。まあまあうまい。結子が輔を見て、照れたようにも得意そうにも見える顔で微笑んだので、輔もちょっと笑い返した。

別れ際に結子は、「じゃあまたね」と言った。「うん」と答えて背を向けた途端、輔はいつもどおり結子を忘れた。振り返らずにマンションを出る。まだ肌寒い風を感じながらペダルを漕ぎ、でたらめな鼻歌を歌った。


「なあ、今度は娘のために殺すのか?」

一瞬の沈黙があり、

「どの件についてのお話でしょう」

と、信之の平らかな声が受話器の向こうで答えた。

「わかってんだろ、信之」

信之、と名前を口にするたび、喜びで舌がしびれる。「ゆき兄ちゃん」と呼んで島じゅうを走りまわっていたころから、ずいぶん遠くへ来た。再び信之とつながれる場所にとうとうたどりついた。

もつれそうになる言葉を必死にほぐし、輔はつづける。

「あんたがしたことを、俺は知ってる。証拠もある。あんたがどういう人間か、よく知っている」

「おっしゃる意味がわかりません」

「簡単なことだよ」

輔は笑い、受話器を持ちかえる。「俺はあんたを脅すネタを三つも持ってる。奥さんのこと、娘のこと、あんたが美花のためにしたこと」

信之のため息が聞こえた。疲労と怒りがないまぜになった呼吸だった。

「折り返します。そちらの電話番号を教えていただけますか」

「無理。公衆電話だから。俺、電話ないんだよね」

鋼管通りに面した古ぼけた銭湯は、「健康ランド」と謳《うた》い終夜営業しているが、いつ来てもひともまばらだ。夕方のいまも、ロビーには近所の老人らしき二人づれしかいない。色あせた布張りのソファに腰かけ、テレビのニュースを見ている。

薄汚れた絨毯《じゅうたん》の毛並みに、ビニール製のスリッパの爪先で無造作に線を引いて遊んだ。

「工場はうるさくていやだってことなら、俺んちに来てもいいよ。あとであんたの部署に地図をファックスする」

信之の返事を待たずに受話器を置いた。戻ってきた数枚の十円玉を作業着の胸ポケットに入れ、ロビーを横切って表に出る。ちょうど駅のほうからきたバスが、道の反対側にあるバス停に停まったところだった。

だれかが降りてくるような気がして、輔はしばらく立って眺めていた。バスは遅番で工場に出勤する客を数人乗せただけで、だれも降ろさず港へ向かって走り去っていった。

どうしてるのかなと、輔はもう二度と会うこともなさそうな女を思った。南海子はなにも知らされないまま、煤《すす》けたような団地で、娘の送り迎えをして夫を待つ生活をつづけるのだろう。

かわいそうにね。輔は気を取り直し、自転車に乗った。これから朝まで仕事だ。バスを追う形で、工業団地へと漕ぎだした。

ロッカーから作業用のヘルメットを取りだすついでに、事務所の電話を勝手に借りる。結子はすでに帰ったあとで、室内は無人だった。反故《ほご》の裏にアパートの場所を記した簡単な地図を書き、覚えておいた市役所港湾局のファックス番号へ送る。

機械に飲まれ吐きだされる紙に書かれた、「黒川信之様」という文字を目で追いかけた。同じ字を信之も見るのだと思うと、顔がゆるんでしかたなかった。信之はきっと、苛立たしげにファックスを受け取るのだろう。あくまで職場向けの表情を必死に取り繕って。

用が済んだ紙を細かく裂いてくず籠に入れ、プレス機が並ぶスペースへ出た。機械は今夜も騒がしく動きつづける。

申し送りの書類に目を通し、プレス機を調整した輔は、新入りの男にあとを任せた。筆談で注意点を伝えると、まだ二十歳にもならないであろう男は真剣な表情でうなずく。

輔はできあがった部品をプラスチックケースに入れて運んだ。ケースの山は、小型リフトを運転してまとめてトラックの荷台に積む。トラックの運転手は、受け渡しの書類に無言でサインした。納期ぎりぎりで仕上がった部品を満載したトラックは、すぐにスピードを上げ、工場が建ち並ぶ狭い道の角を曲がって消えた。

新入りの男にさきに休憩を取らせ、プレス機のまえに立つ。日付が変わろうとしている。機械の単調な動きに、最初の眠気がかきたてられる時刻だ。ぼんやりして指まで型抜きされぬよう、なにか楽しいことでも考えなければいけない。

信之の娘は、変質者にいたずらされたという。それを聞いたとき、信之はどんな思いがしただろう。

信之がその場に居合わせなかったことを、輔は確信していた。もし犯人の顔を見たなら、見るまではいかなくとも、娘が被害に遭ったとき近くにいたなら、信之はいまごろ市役所にはいない。犯人を殺していたはずだ。

それとも、信之は変わったんだろうか。美花を愛したほどにはいまの家族を愛さず、穏やかな愛を注ぐふりをしているだけなんだろうか。

ためらいもなく殺す信之も、美花以外のだれのことも愛せない信之も、輔は好きだ。どちらであっても、島にいたときのままの信之なのだという証《あかし》だ。

美花のためにバンガローの男の命を絶った信之は、輔の英雄だった。汚れて歪んだ英雄だ。そんな信之が力と熱を隠し、平凡な妻子と暮らすのもまた、英雄たる証だ。信之が島の外の人間を愛するはずがない。だって信之は、あんなにも濃く深く美花とまじわっていたのだから。

俺たちだけが生き残り、俺たちだけが秘密の記憶を共有した。あの夜の島のにおいを覚えている。

島の王。輔が焦がれてやまない守護神。眠りに就いた輔の英雄は、美花の危機を感知したときにだけ目を覚ます。再び身を起こす信之は、いったいどんな新しい顔を見せてくれるだろう。

楽しみでたまらない。信之が本来の姿を取り戻すなら、嫌われても憎まれてもかまわない。どうせ、いまさらだ。

気配を感じ、輔は顔を上げた。表で煙草を吸っていたはずの新入りが、搬入口から輔を手招きしている。呼ばれたところで、プレス機を放ってはおけない。「おまえが来い」という意味でぞんざいに手をひと振りし、思い当たった。

もしかして、もう信之が来たのか。そうだ、ファックスを見て仕事帰りにアパートへ寄り、輔が不在だったから工場まで来たのかもしれない。

焦《じ》れた新入りが小走りに近づいてきて、輔の耳もとで「お客さんです」と怒鳴った。やっぱりだ。輔は「ちょっと見とけ」と怒鳴り返し、軍手を脱ぎつつわざとゆっくり搬入口へ向かった。走りだしたがって、膝の内側が熱くなる。

いくら欲しいと言おう。百万。二百万。それとももっとか？　輔には「大金」がどの程度のものなのか、見当もつかなかった。

金など本当はどうでもいい。使うあてもない。輔は、信之が表情を変え、感情をあらわにする瞬間を見たかった。無理だと憤り、脅すのはやめてくれと懇願するさまを見たかった。

オイルと潮の混じりあう、淀んだ夜のにおいがする。

歩道に立ち、あたりを見まわした。このまえ信之がいた街路樹の根もとには、風で吹き寄せられたゴミが引っかかっているだけだ。

「ひさしぶりだなあ、輔」

驚いて輔は振り返った。背後の工場の壁から、切り取られた影そのものの中年男が現れる。

高揚と興奮が引いていき、凪《な》いで冷たい海が果てなく広がるようだった。

この男がそばに来ると、輔の体は震えだす。満足に話すこともできなくなる。いまではもう、俺のほうが体が大きい。力が強い。稼ぎも職場での評価も抱いた女の数ですら、たぶん俺のほうがうえだ。

そう思うのに、いくら言い聞かせても震えはやまない。

「帰れ」

と輔は言った。「仕事中なんだ、出直してくれよ」

脇腹の古傷が痛んだ。体じゅうに刻まれたありとあらゆる傷跡が痛んだ。

父親は動こうとせず、底光りする目で輔を見据えている。よれて汚れた作業着を着て、饐《す》えたにおいのする息を静かに吐いている。

節くれた父親の拳に、折れた自分の歯が刺さった光景を覚えている。そのとき口と鼻から流れた血の色も。

父親の皮膚にはなんの痕跡も残っていない。だが、皺《しわ》は増えて深くなった。酒焼けなのか海で暮らした日々が未だ染みこんだままなのか、黒くざらついた張りのない肌だ。年月と怠惰であろう生活を映し、中肉中背だったはずの父親の体はたるみを帯びていた。様子をうかがっていたらしい新入りが、いつまでも動かない二人を怪訝《けげん》に思ったのか歩道へ出てきた。

「持ち場を離れんな」

と輔は言った。

「でも」

新入りはせわしなく輔と洋一《よういち》を見比べた。「だれです、このおっさん。警察呼びますか？」

「いい、平気だ」

新入りをプレス機のほうへ追いやった輔は、息を吐いた。「なんでここがわかった？」

「おまえが川崎へ行ったって聞いてな」

「どこで」

「長野」

「なんの用」

「十年以上会ってなかったんだ」

父親は探るように輔に視線を走らせ、輔が押し隠そうとしている緊張を見て取ったのか、唇の端を上げた。「待ってるから、どっかで落ち着いて話そうや」

逆らえず、突きだされた父親の掌に千円札を二枚置いた。

「臨港《りんこう》中学の裏手にある、蓮華荘ってアパート。二〇四号室」

「鍵は」

「かけてない」

「適当なことを言って、逃げようとしてないだろうな」

「そんなことはしない」

父親は輔の言葉の真贋《しんがん》を計っているようだったが、やがて背を向け、産業道路のほうへ歩いていった。

輔は工場へ戻り、休憩時間に事務所で茶を飲んだ。軽い夜食にと思ってコンビニでサンドイッチを買っておいたのだが、手をつける気になれなかった。プレス機のまえに立ち、あるいはできあがった部品を運び、黙々と夜明けまで働いた。新入りはなにか聞きたそうだったが、あえて目を合わせないようにした。

たすけて。

あの夜、美花の唇はたしかにそう紡いだ。輔も心のなかでつぶやきつづけている。

たすけて、たすけて、たすけて。

輔は笑った。信之は来ない。いくら脅しても、地図を送っても、声をかぎりに叫んでも、信之は決して来ない。

そんなことは、ずっと知っていたじゃないか。

冷たく黒い水が陸地を飲みこむ。家々の灯《あか》りはいまも海の底。

機械音が体を包む。

ひとつだけある窓から朝日が射しこんでいる。わずかな時間だけこの部屋を照らす光。それを顔に受け、父親はいびきをかいて眠っている。

輔は布団のかたわらに立ち、カーキ色の作業着を着た父親を見下ろした。いま、こいつの腹を踏みつぶしたらどうだろう。虫みたいな液を吐いてのたうつだろうか。

父親は昼前になってやっと目を覚まし、「飯」と言って布団にあぐらをかいた。輔は食べずじまいだったサンドイッチと、帰りがけに買ったペットボトルの茶を渡した。

「殺風景だな」

最後のひとかけらを音を立てて咀嚼し、父親は部屋を見まわした。どうせ留守のあいだに家捜ししたくせに、わざとらしい。輔は薄笑いを浮かべた。あいにくだが、大事なもんは全部工場のロッカーのなかだ。

「なんの用」

と輔はまた尋ねた。早く終わらせてしまいたかった。

「灯台守のじいさんが死んだ」

父親はもったいぶるように、白いものが交じりはじめた顎の無精髭《ぶしょうひげ》を撫でた。

「ふうん」

いまのいままで、島にいた老人のことなど忘れていた。そういえば、あのじいさんも生き残ったんだっけ。どこでどうしていたんだろう。

「病院から連絡があってな。じいさん、俺を身元引受人にしていたらしい。こっちはいい迷惑だ。島に残ると言い張ったくせに、最期だけは面倒見てくれとは勝手なもんじゃないか。なあ」

「島に残る?」

びっくりして輔は聞き返した。「あのじいさん、津波のあとも島に残ったのか?」

「そうさ。だから俺は病院に、葬式なんか出す金はねえよって言ってやった。当然だろ?」

「だって、どうやって」

「なにが」

「どうやって残るんだ、あんな島に。死体だらけで、港もつぶれてたのに」

「死体は片づけただろうが。おい、煙草ないか」

「ない」

父親は舌打ちし、わずかに震える手でペットボトルの茶を飲んだ。いつ父親が苛立ちを爆発させるかと怯えながら、輔は慎重に問いかけた。

「だけど、食い物とかはどうしてたんだ」

「灯台のある岬から籠を下ろして、下を通る船から買ってたらしい。年金と災害手当で、一人で暮らすぶんぐらいの金はあったろうからな。無線で注文すりゃあ、まあ無人島でもやってはいける」

じゃあ、俺も島に残ればよかった。島を出てからの、父親と二人の暮らしを輔は思い起こした。

「いよいよ老衰で死ぬってときも、無線でSOSして、ヘリで大島の病院まで運ばれたんだってよ。いいご身分ってやつだ」

「病院はどうしてあんたの居場所を突き止められたんだ」

「あんた？」

背中を丸めていた父親が、掬《すく》いあげるように輔を見た。輔はひるんだが、父さんとは意地でも呼びたくなくて無言の抵抗をした。父親はひっくりかえった昆虫を観察する目つきで笑った。

「今度の工場は、めずらしく会社の保険に入れてくれるって言うんでな。何年ぶりかに、ちゃんと住民票を移したとこだったからじゃないか」

　父親も工場を転々としている。どこかでかち合うことがあるかもしれないとは思っていた。ずっと輔を探していた父親は、長野の工場でついに、息子らしき男が川崎に行ったと知ったのだろう。

「そんな待遇のいい職場にいんのに、なんでおまえなんかを訪ねてきたと思う」

　瀕死のネズミに爪を立てる老猫じみて、父親は輔をいたぶる。「葬式出すのは断ったんだが、病院からじいさんの遺品が送られてきた。遺品たって、ガラクタばっかりだ。でも、遺言つうのかな。いや、告発か？　とにかく、汚ねえ字でおもしろいことが書いてある手紙が入ってた」

　いやな予感がした。輔はさりげなく目をそらした。

「輔。おまえ、ひとを殺さなかったか」

　喉もとに重い塊が詰まり、咄嗟《とっさ》に表情を繕うことができなかった。父親の魂胆はいまや明らかだ。待遇のいい工場で働くより、もっといい金蔓《かねづる》を父親は見つけた。むしゃくしゃしたら殴りつけることだってできる、堅実に金を運んでくる息子を。

「俺じゃない！」

　輔は悲鳴に近い声で言った。

「じゃあ、だれだ。じいさんは、おまえがやったと書いてる。神社の下に転がってた山《やま》中《なか》の死体から、靴を取って移動させるのを見たそうだ」

「ちがう、ちがう！」

冗談じゃない。やったのは俺じゃない。俺はただ、信之を守りたかっただけだ。だから、神社での殺人を目撃した翌朝、こっそり山中の様子を見にいったんだ。慎重に斜面を下りて、大岩の陰を覗いた。木片や海藻の下で山中は死んでいた。だけどこんなところじゃ、だれかに見つかるかもしれない。そう思って、靴をもっと目立つ場所に動かした。

輔の思惑どおりにことは進んだ。山中は椿の谷に落ちたのだろうとだれもが考え、探すものはあのときからいままでだれもいなかった。灯台守のじいさんに見られていたなんて、気づきもしなかった。

「信之と美花だ」

輔は必死で言い募った。「あいつらが山中を絞め殺したんだ、俺は見た。あのとき十歳だった俺が、大の男を絞め殺すなんて無理だ」

父親は静かに立ちあがり、なんの反動もつけずにいきなり輔のみぞおちに蹴りを入れた。重く熱い衝撃に胃が縮み、輔は体を二つ折りにしてえずいた。無防備に晒された輔の背骨に、父親の踵《かかと》が何度も落ちてきた。

「小狡《こずる》い言い逃れが通用すると思ってんのか？」

どうして俺がこんな貧乏くじを引かなきゃならない。生理的な涙でぼやけた目に、畳の毛羽立ちが映った。俺を無視しつづける信之のためなんかに、どうして。

輔はなんとか上体を起こした。父親の蹴りをまともに顎に食らい、仰向けに倒れこんだ。天井を見上げたまま、

「証拠がある」

と輔は言った。口内にあふれた血が喉をふさぎそうになり、激しくむせる。

「どんな」

「死体の写真。山中のポケットにあったカメラで撮った。首を絞められた跡がはっきりわかる」

「どこにある」

「すぐに持ってくるよ」

輔は父親の作業着の脛《すね》にすがった。「なあ、父さん。女優の篠浦未喜《しのうらみき》って、あれ美花だよ。俺なんかを脅すより、美花に写真を送ったほうがずっといい」

輔を振り払おうとしていた父親が動きを止めた。

これで少しのあいだ痛めつけられずにすむ。今度は安堵《あんど》の涙で視界がぼやけた。

工場のロッカーから山中の死体写真を持ち帰り、父親に見せた。古くなったカラー写

真特有のぼやけた色調のなかで、どす黒くむくんだ山中の顔が大写しになっている。喉には指の形の鬱血があった。

「不細工だなあ、おい」

と父親は笑った。「ネガは」

「とっくに捨てた。そんな写真、どこにも現像に出せないから」

「じゃあ、これはどうやって現像した」

「中学のとき、写真部のやつにやりかた聞いて、部室借りて一人で」

本当は、ネガはまだ工場のロッカーにある。

山中のズボンのポケットに入っていたカメラには、フィルムが二枚しか残っていなかった。どうしてそれを使って、死体を撮ろうなどと思いついたのか。死に対する感覚が麻痺していたのかもしれないし、撮っておけば信之が言うことを聞いてくれると算段したのかもしれないが、もうよく覚えていない。

ただ、とてもわくわくした。吟味を重ねて角度を決め、死体の脇にしゃがみこんで慎重にシャッターを押した。

フィルムを抜き取り、カメラは靴を移動させるついでに椿の谷へ放り捨てた。

現像したうちの二枚は、わずかに角度を変えて山中の苦悶の表情を刻印していた。残りはすべて、津波が来るまえの美浜島《みはまじま》の風景だった。

整然と係留された漁船。港でひなたぼっこする猫。緑に覆われた美浜山。古い木造校舎。懐かしい家並み。海岸の道。

中学校の屋上に座り、輔は現像したばかりの写真を子細に眺めた。ひとはほとんど映っていない。美花を犯し、信之に殺された山中が、こんなに穏やかな風景を撮っていたことが意外だった。津波のあとの風景を撮らなかったことも。

港の桟橋のほうから、遠景で山一《やまいち》商店を撮ったショットがあった。輔は目を凝らした。店の軒先に子どもがたむろしている。顔などほとんど点だったが、輔にはわかった。俺だ。俺とゆき兄ちゃんと美花ちゃんと琴実《ことみ》だ。津波が来る前日、ゆき兄ちゃんに山一商店でコーラをおごってもらったんだった。

輔は死体の写真二枚と、そのぶんのネガを切り取り、制服のポケットに収めた。残りのネガにライターで火をつける。一仕事終えた気分で階段室の外壁にもたれ、放課後のざわめきを聞きながら、小さなビルが並ぶ町を見下ろした。遠くへきたんだなと思った。

山中が撮った美浜島の風景は、風に散るのに任せた。

十回ではたりない引っ越しと十五年以上の年月を経て、輔が大切に持っていた山中の死に顔を、父親は無造作に畳に放った。

「この写真でいいとして、金の受け渡しをどうするかが問題だ。架空の口座かなんかないか」

と父親は言ったが、そんなものを持っているはずがない。

「堂々と名前と用件を書いて送ればいいんじゃない」

と答えた。

輔は美花を脅すことには興味がなかった。どうせ時効だし、写真の効果がどこまであるのか心許《こころもと》ないとも思っている。美浜島での過去を暴かれるのは、イメージが大事な職業の美花にとっては痛手だろうから、小金ぐらいは引きだせるかもしれない。そうればいいなとは思う。金があるうちは、父親も輔をそんなにひどく痛めつけないはずだ。興味があるのはただひとつ。美花を脅されたと知った信之が、どういう行動を取るのかということだ。

どうせいつかは、信之に山中の写真を見せるつもりだった。もう二度と輔を無視などできないように。

写真をちらつかせる時期と対象が、少しずれただけ。「黒川輔」と名乗って写真を送れば、話は必ず美花から信之に伝わる。輔はそう確信していた。

「昔のよしみで、ってこともあるしな」

と、父親は見当違いな納得のしかたをした。酒で脳細胞がふやけてるんじゃないか。

輔は内心で嘲笑《あざわら》った。美花はとっくに、昔のよしみなど断ち切っている。過去を捨て、きらびやかで閉鎖的な世界でもう十五年もちやほやされつづけている。美貌の陰に貪欲さを隠し、生き残りを賭《か》けた闘いに挑みつづけている。女優・篠浦未喜をテレビやスクリーンで一度でも目にすれば、わかりそうなものなのに。

美浜島に囚《とら》われているのは、俺たち男だけなんだなとふと思った。

ネットカフェで調べたら、篠浦未喜が数年前に大手芸能プロダクションから独立し、個人事務所を作って活動していることはすぐにわかった。「オフィス篠浦」のサイトには、事務所の所在地として渋谷区神南にあるマンションの住所が載っていた。どうせ少人数でやっているのだろうし、ここに手紙を送れば、美花の目に入る可能性は高いはずだ。

芸歴はそこそこ長いが、美花はまだ三十代前半だ。女優としては、もう三十代前半とも言えるかもしれない。芸能界の大御所と呼ばれるにも、華のある若手女優と呼ばれるにも、中途半端な立ち位置。それなのに、大きなプロダクションから独立し、そこそこの仕事をしている。美花らしいと輔は思った。美花は島で、信之をいいように操っていた。山中にも、目の端で微笑を送っていた。輔にはそう見えた。

魔力を帯びたうつくしい美花の顔。美浜島の美と閉塞を凝縮したようだ。

芸能界に関する情報は、ゴシップ記事を通して人並みにしか知らないが、事務所の力がどれだけあるかが大事らしいと見当はつく。弱小事務所でやっていけるということは、美花には後ろ盾がついているのかもしれない。輔は下世話な想像をたくましくした。きっといまも、男に媚び、男の魂を吸って生きてるんだろう。

名前と蓮華荘の住所と金を送ってほしい旨を記した手紙を書き、コンビニでカラーコピーした二枚の写真とともに、「オフィス篠浦　篠浦未喜様」宛に送った。封筒の表に、「美浜島、中井《なかい》美花の件。この封筒をだれが開けるべきか、篠浦未喜さん本人に確認を取ってみてください」と赤ペンで記した。裏にはリターンアドレスもちゃんと書いた。

いくら注意書きしたところで、郵便物はスタッフが開封するのだろうから無駄だとは思った。だが、篠浦未喜の本名と出身地を知るスタッフがいるのならば、開封前に美花にうかがいを立てるかもしれない。リターンアドレスに書かれた輔の名を見れば、いたずらで送られてきた手紙などではないと美花は察するはずだ。美花自身が開封すれば、陰惨な山中の写真がほかのものの目に触れずにすむ。美花は過去の罪をスタッフに見られずにすむ。

注意書きは、美花への思いやりだった。

手紙を投函し一週間が過ぎても、美花からの送金も連絡もなかった。

美花はまだ手紙を見ていないのかもしれない。質《たち》の悪いいやがらせだと思ったスタッフが、美花に見せずに捨ててしまったのかもしれない。だったらもう一度、今度は明確に脅しだとわかる手紙を送らなければ。

もしも、美花が手紙を見たうえで無視しているのだとしたら、どうすればいいだろう。信之に連絡も相談もせず、美花一人の判断で手紙が捨て置かれているとしたら。輔のすることなんて放っておけばいい、と思われているとしたら。

考えたくない可能性を、輔は打ち消した。

そうなったら地獄だ。この地獄が永遠につづく。

アパートに転がりこんできた父親は、数日は上機嫌で、錆《さ》びた郵便受けを日に何度も覗いていた。だがいまでは、苛立ち、輔を罵り、酒を飲んで暴れる。空室だらけのアパートで、数少ない住人はみな留守がちのうえ他人に無関心だから助かったが、そうでなければ通報されているだろう。

父親が眠っていてくれることを祈って工場から帰宅し、顔に派手な痣を作って出勤する。「どうしたんだ」と驚かれたが、「親父に居座られてて」と答えたら、磯崎も新入りも気まずく黙りこんだ。輔の顔に新たな痣ができていても、心配そうな視線を寄越すばかりだ。

いい年をしてこんなに父親に殴られている男がめずらしいか。

同情と好奇の視線にさらされることに、輔は子どものころから慣れていた。「親」という存在が暴力を振るう事実を、ひとはなかなか受け入れない。父親から日常的に殴打されてきた輔は、殴られる自分をすぐに受け入れたが、子どもを殴ったり親に殴られたりしなれていない大人や子どもは、「親はそんなことしない、しちゃいけない、するはずがない」と心のどこかで思っている。

だから、この世には殴る親がいるんだと、はじめは認めようとしない。言うことを聞かない子どもが悪いんじゃないか、と考える。やっと、たいした理由もなく殴られているらしいと認めても、かわいそうにと遠巻きにするだけだ。

愛があってしかるべきとされるところに空白があり、その空白を暴力が埋めているのだと知った途端、どいつもこいつも急に居心地悪そうに目をそらす。暴力も愛の一種なんじゃないかと、なんとか理屈をこねて納得しようとする。愛は不動で不変なものなどではなく、暴力と簡単に入れ替え可能で憎しみに変質しやすいものなのだと、まざまざと見せつけられるのが怖いからだ。その結果の珍獣扱い。

うんざりだった。自分にも、父親にも、まわりにいるやつらすべてにも。

本当は、反撃するのはたやすい。拳をふるう父親の力はあいかわらず強い。でも、所《しょ》詮《せん》は足もともおぼつかぬ酔っぱらいだ。いまの輔なら、楽に殴り返すことができる。殴り殺すことだってできるはずだ。

輔がそうしないのは、父親の姿を見ると条件反射で身がすくむから、ということもある。だが一番の理由は、灯台守のじいさんの遺した手紙を、父親が読ませてくれないからだった。父親は写真と手紙をどこかに隠してしまった。部屋を探したのだが、見つからない。

「俺に逆らったら、どうなるかわかってんだろうな」

と父親は言う。「あの写真と手紙を、おまえの職場の連中に見せても、警察に持っていっても、俺はかまわないんだ。じいさんの手紙を読めば、山中を殺《や》ったのはおまえだってみんな思うさ。いくらおまえが『ちがう』って言ったって、そんなのはだれも信じやしない。俺がおまえの言いぶんを信じるのは、親だからだよ」

身動きが取れず、輔は父親の暴力と暴言を堪え忍ぶしかない。

仕事が終わっても、なるべくアパートには帰らないようにした。磯崎とパチンコをしたり、結子の部屋に入り浸ったりして時間をつぶす。しかしそれにも限界はあった。手紙を出してそろそろ二週間になろうかという日、深夜勤ののち、休むまもなく昼からパチンコとセックスとをこなし、輔はふらふらになって夕方にアパートへ戻った。アンモニア臭が充満した部屋で、父親はからの酒瓶を片手に眠っていた。コンクリートを流しただけの狭いたたきに、黒く濡れた跡があった。

「なんでこんなとこに小便すんだ！　トイレ行けよ！」

怒りがこみあげ、輔はたたきの染みを避けて靴のまま畳に上がると、布団に転がった父親を引き起こした。父親は酒気と眠気でうつろな目を向け、

「だれにそんな口きいてんだ！」

と、呂律《ろれつ》のあやしい口調で怒鳴りかえしてきた。「マスコミに垂れこんだっていいんだぞ！　俺の息子は人殺しです、津波に遭った美浜島って覚えてるでしょ、あの島で息子はガキのころにひとを殺したんですよ、ってな！」

「出てけ！　これ持って今夜は帰ってくんな！」

輔は作業着のポケットから出した万札を一枚押しつけ、父親を叩きだした。父親はドアの外でしばらくわめいていたが、一万円あれば朝まで居酒屋でいくらでも飲めると気づいたのだろう。外階段を下りる足音がし、ようやくあたりは静かになった。

輔はじっと畳に座っていた。酒瓶が指先に触れた。つかんで思いきりドアに投げつける。瓶はけたたましい音を立てて砕け、小便まみれのたたきに散った。破壊音に急《せ》き立てられたかのように立ちあがり、父親が勝手に使っている布団を土足で踏み荒らした。薄っぺらい綿布団をひとしきり靴底でにじると、少し気分が落ち着いた。

ドアを開け、片手鍋に汲《く》んだ水を何度かたたきに流す。割れた酒瓶の小さな欠片《かけら》は、水とアンモニア分とともに外廊下へ押しだされていった。父親の小便がちょっとはついているのかと思うと、流れ残った大きな破片に触る気にもなれず、靴のさきで蹴りだした。いくつかのガラスは外廊下の柵に当たり、調子はずれの音階を奏でた。

「こんな時期に大掃除か？」

顔を上げると、外廊下の階段を信之が上がってきたところだった。開け放ったままのドアのまえに立った信之は、スーツを着て、弱々しく明滅する外灯の光を浴びて輔を見ている。家のなかなのに靴を履き、鍋をぶらさげた輔の出で立ちに、困惑したようでも笑いをこらえているようでもある。

幻かと思ってまばたきした。信之は消えない。輔は水浸しのたたきに下り、すがりつくように信之へ手をのばした。灰色のスーツの生地に爪を立てる。

たすけて。たすけて、ゆき兄ちゃん。

視界の端で、信之の手がゆっくり動いた。突き飛ばされるか張り倒されるかするのだろうと思ったが、ちがった。信之は輔の髪をぞんざいにかきまわした。ごく幼いころ、よくそうしてくれたように。

喜びと戸惑いに満ち、輔は少し体を離して信之を見た。信之はなんの表情も浮かべていなかった。機械的に犬の子でも撫でるようなその冷たさと無関心。

ああ、来てくれたんだ、と輔は思った。

「ずいぶん飲むんだな」

部屋に上がった信之は、流しに並んだ空き瓶を眺めて言った。輔は散らかっていた弁当の容器をレジ袋につっこみ、父親のにおいが染みついた布団を足で脇によけた。せっかくスペースを作ったのに、信之は流しのまえに立ったままだ。輔もしかたなく、部屋の真ん中に突っ立っていた。

「俺は酒はやらない。親父が来てるんだ」

「へえ、洋一おじさんが。元気なのか」

「ずいぶん長く会ってなかったけど、変わってないよ。金をせびられた」

用心深く信之の反応をうかがう。「なんでここに?」

「なんでって」

信之は笑い、ワイシャツの胸ポケットから煙草を出してくわえた。「おまえが電話で呼びだしたんだろう。地図までファックスして」

「二週間もまえのことだ」

「新年度になったところで、役所が忙しかった」

本当に? あんたは本当は、もう俺に会うつもりなんてなかったんじゃないか。それなのにこのタイミングで現れたのは、俺に脅されていると美花に泣きつかれたからなんじゃないか。

換気扇は間の抜けた速度でしかまわらず、白い煙はゆるやかに室内に散った。

「吸うんだ」

「たまに」

酒を飲む姿も煙草を吸う姿も、お互いに見たことがなかったんだなと輔は思った。輔が知るのは十四歳までの信之で、いまの信之が真実を語っているのかどうか、うまく判断がつかない。ただ、真実だと思いたがる自分がいるだけだ。

掌で合図すると、信之は煙草の箱を放って寄越した。セブンスター。輔はパッケージに挟まっていた百円ライターで火をつけ、深々と煙を肺に取りこんだ。ひさしぶりの一服で、脳の軸が揺らぐ。

「証拠があると言ってたな」

信之は流しで煙草をねじ消し、輔を正面から見据えてきた。「なんの証拠だ」

空々しい。美花から聞いて知っているくせに。いや、信之は知らないのかもしれない。家族と自分のこれからを思って、呼びだしに応じたのかもしれない。

わからない。信之は穏やかな無表情だ。輔は辛抱できず、

「あんた、美花に会わなかったのか？」

と尋ねた。指に挟んだ煙草から灰がこぼれた。吸い差しを流しに弾き飛ばす。

「美花？　もう十五年ぐらい会ってない」

急におかしなことを、と言いたげに、信之は少し首をかしげた。美花の名前を出せば動揺するかと思ったのに、信之の感情は平坦なままのようだ。それが無性に腹立たしい。どうしたらその余裕を突き崩せるだろう。

「証拠は、山中の死に顔の写真だ。俺が撮った。あんたの指の跡がはっきり首に残ってる」

輔が言い放つと、信之は流しに体重を預け、腕組みした。

「現物は」

なにを言われたのかわからず、輔は黙っていた。信之は焦れたように、少し声を荒くした。

「おまえの言う、証拠の写真だよ。見せろ」

「ここにはない」

輔はたじろいだ。信之に揺さぶりをかけたかったのに、信之は過去の殺人を遠まわしに認めているというのに、なぜかこっちが追いつめられていると感じた。

「親父がどこかに隠してるんだ」

「話にならない」

信之は腕組みを解き、玄関へ体を向けた。「そんな写真、本当にあるのか?」

このままでは信之が帰ってしまう。工場のロッカーにあるネガのことを言おうかと思ったが、かろうじて踏みとどまった。あれは保険だ。手の内を全部見せるわけにはいかない。

輔はあせって叫んだ。

「あるよ、篠浦未喜にだって送った! 親父は美花の金をあてにしてる」

歩みを止めた信之が、ゆっくりと輔を振り返った。

「あいかわらず、ろくなもんじゃないな。おまえも、おまえの父親も」

信之の唇は酷薄な笑みを刻んでいた。「死んじまえばよかったんだよ、あの島で」

俺もそう思う。輔は心のなかで答えた。何度も何度もそう思ったよ。

「あんたは昔から、俺が嫌いだったよな」

信之にはわからないだろう。すべてを持っているからだ。宝物のように大切に思う相手も、帰りを待ってくれるひとも。輔がそれをどんなに望んだか、求めて得られずさまよったか、想像もできないだろう。

「あのとき、ついでに殺してくれりゃよかったのに」

輔は吐き捨てた。信之に比べて、俺はどうだ。なにもかもがうまくいかない。クソみたいな父親にまといつかれ、生きるのも死ぬのも面倒なぐらいしみったれている。

「なあ」

と、信之が穏やかさを取り戻した声で言った。「金が欲しいんだったな。いくらだ」

「なんで」

「俺が出そう。そのかわり、写真をすべて見つけて、俺に渡してくれ」

「美花のためか」

怒りがこみあげ、輔は怒鳴った。「やっぱり、あの女に『なんとかして』って言われてここに来たんだろう！　そうだよな、あんたはあの女のためにしか動かない。俺がどんなに殴られてたって知らん顔だった」

「俺は、俺の家族のために動いてるんだ」

信之が静かに近づいてきた。「美花が金を出さなかったら、どうなる？ 次に脅されるのは俺だ。おまえの父親が証拠を握ってるかぎり、いつ家族が俺の過去を知るのかと思って、安眠できない」

信之の手が輔の肩に置かれ、座るよううながす。輔は眼差《まなざ》しに気圧《けお》され、畳に尻をつけた。膝をついた信之が、覗きこむように目を合わせてくる。

「輔。写真を俺に渡して、俺を脅すのも、俺の家族のことを探るのもやめると約束するなら、助けてやる」

「たすける？」

「ああ」

信之は優しく笑った。「金をやるし、おまえの父親を殺してやるよ」

工場の外でコンビニの弁当を食べていると、

「おう、ここいいか」

と磯崎が声をかけてきた。輔は黙ってうなずく。磯崎は輔と並んでガードレールに腰を引っかけ、弁当箱の包みを解いた。

そろそろ梅雨《つゆ》も明けるのだろう。朝方まで降っていた雨は上がり、蟬《せみ》の声とともに強い日射しが脳天を打つ。だが風があるだけ、表のほうがましだ。

背後を通りすぎる大型トラックが排ガスと埃を巻きあげ、弁当の飯粒に細かい砂塵《さじん》が付着した。輔は乾いた歩道とそのさきにある薄暗い工場の搬入口を眺めたまま、黙々と箸を動かした。

「親父さん、まだいるのか」

「はい」

「大変だな」

口先で心配するだけで、あんたはなにもしてくれやしないじゃないか。輔は殊勝な笑みを浮かべてみせながら、腹の底でそう思う。だったら黙っていろ。放っておいてくれ。

酔った父親に蹴られた脇腹が鈍く痛む。

美花から送られてきたと偽って、信之の金を父親に渡している。信之は三百万くれた。

「こんな金、どうしたんだよ」

と聞いたら、

「マンションを買おうと思って貯めていた」

という答えだった。

思いがけない大金にひるむ気持ちは消えた。新居を構える夢が遠のき、あの団地で陰鬱な顔をして家族と過ごす信之を想像すると愉快だ。

父親はあればあるだけ使ってしまうので、週に十万円ずつ与えた。いままでもう百二十万を競馬と酒に費やしたのに、父親は不満顔だ。

「こんなはした金でなにができる。もっと送るように美花に言え」

と、輔に当たり散らす。

「いま工面してるらしいから」

と、なんとかなだめる。

父親は十万を手にすると、まず安酒を山ほど買ってくる。残りの金は、飲み歩いたり賭事をしたりで、週の半分かけて使う。金が尽きるとアパートに籠もり、買っておいた安酒を週の半分かけて飲みつづける。生活費はすべて輔の稼ぎから出ている。

限界が近い。輔に安息は訪れない。飛んでくる罵声や拳にじっと耐えるしかない。父親が眠りこんでしまうと、ポケットや部屋じゅうを探りまわる。写真と手紙は見つからない。どこに隠したんだろう。

逃げだしたくてたまらないが、父親はそんな息子の思いを察したのか、「今日は何時ごろ帰ってくる」とうるさい。少しでも帰宅が遅れたら、荒れて手がつけられなくなる。あとをつけられているような気もして、結子のところにもおちおち行けなくなってきた。

すぐに殺してくれると期待したのに、信之はちっとも動かない。

「そうあせるなよ、輔」

父親に気づかれぬよう、早朝にこっそりと部屋を出た輔を待ち受けて、信之は市役所の脇にあるコンビニで囁いた。雑誌を立ち読みするふりをして、互いに視線はガラス越しの大通りに向けたままだった。

「写真がどこにあるのか、聞きだしてからだ」

そんなまどろっこしいことはしていられない。あんたは助けてくれると言ったじゃないか。早くしてくれ。じゃないと俺が親父に殺される。そう詰め寄りたかったが、冷房が利いて漂白されたようなコンビニの空気に、かろうじて言葉を飲みこんだ。

信之は輔の内心を見透かしたのか、横顔だけで静かな微笑を投げかけてきた。

「写真さえこっちの手に入れば、なんでもしてやる。おまえが自由になれるように、なんでも」

輔に札を握らせ、信之は振り返らずにコンビニを出ていった。輔はその金で透明な酒を買う。ジンだったりウォッカだったり、度数さえ高ければ種類はなんでもいい。どうせ父親は味など気にしない。

父親が暴れずうまく酩酊しているときを見はからい、輔はなおいっそうの酒を勧めた。授乳するように、瓶を支えてやることもあった。眠りに落ちる間際なら、おとなしく言うことを聞くかもしれない。信之にもらった睡眠薬も、たまに混ぜてみた。

そこまでして写真の隠し場所を聞いても、うなるばかりだし死にもしない。むくんで内臓が腐ったにおいのする息を吐きながら、目を濁らせた父親は生きている。なんだかもう、よくわからない。父親と狭いアパートの一室にいるうちに、わからなくなった。殴られ、強い酒を隙を見てどんどん飲ませ、二度と目覚めてくれるなと願いながら父親が眠りに落ちるのを息をひそめて見ていると、自分がどこにいてなにをしているのか曖昧になる。

島を出て父親と二人きりで過ごした日々に逆戻りしているのではないか。信之は結局、俺のことなどどうでもいいと思っていて、なんとか自分の手を汚さずにすませる方法を選んだだけではないのか。

磯崎は隣で弁当をつついている。妻が毎日作っているらしい弁当は、かぶった埃のせいだけではなく、茶色く地味だ。輔は軽く首を振り、食べ終えた弁当の容器に蓋をした。事務所で昼休みを過ごしている結子と、窓ガラスを隔てて目が合った。視線で誘われ、視線で答える。茶の入ったペットボトルをぶらさげ、ガードレールから腰を上げた。

「黒川」

と磯崎が声をかけてきた。「困ったことになってるなら言えや。な?」

輔はゆっくり振り向いた。トラックがまた通りすぎ、磯崎のぱさついた白髪《しらが》を揺らす。

「俺は最近、親父を殺す夢ばっかり見ます。どうしたらいいですか」

磯崎は黙りこんだ。

中途半端な心配も助言もクソだ。いらねえんだよ。死んじまえ。毎日毎日何十年も、同じおかずが入った弁当食って、しょぼくれた工場としょぼくれた家族のいる家を往復しつづけて、クソして死ね。

事務所へ顔を出し、結子が投げた部屋の鍵を受け取る。冷たい金属の感触が掌で光るようだ。

足早にプレス機のまえに立って輔は怒鳴った。

「あーあ、だれかあいつを殺してくれよ頼むから！」

音が邪魔して、声はだれの耳にも届かなかった。機械に向かってそんなことを叫ぶ自分がおかしくて、輔は笑った。笑い声を聞くものも、だれもいなかった。

父親の尾行を気にするせいで、このごろ輔は何度も背後をたしかめながら移動するのが癖になった。部屋で飲んだくれるばかりの父親が、自転車のあとを追いかけられるはずはない。わかっていても、しつこいほど振り返ってしまう。

工場から結子のマンションまで行くあいだに、百回以上振り返ったのではないかと思い、もしかして俺は異常ではないだろうかとも思いながら、輔は自転車を下りた。

結子の体のなかに入っているときは、余計なことを考えずにすんだ。ぬるつく膣《ちつ》をえぐりながら、父親の内臓はどのぐらい腐ったところかな、こうやってめちゃくちゃにしてやれれば手っ取り早いのにと、脳というより首筋のあたりで思っていればよかった。

「最近、あんまり来ないんだね」

シャワーを浴びてベッドのそばの床に座った輔の肩に、まだ寝そべったままだった結子が触れてきた。せっかく汗を流したところなのに、べとつく肌が邪魔だ。

「親父の面倒を見なきゃならないから」

さりげなく結子の手から逃れ、夕飯の載ったローテーブルににじり寄る。

「だめ。あっため直さなきゃ」

じゃあ早くそうしろよ。輔は冷めた料理を眺めながら、とりあえずTシャツをかぶった。お預けを食らった犬よろしく、結子がベッドを下りる気になるのを黙って待つ。

背後で服を身につけている気配がし、結子の白い足が視界の端をよぎって台所へ消えた。ややして、「インスタントでごめん」と、湯気の立つコーンスープの入った椀を持って戻ってくる。

ローテーブルを挟み、向かいあって夕飯を食べた。あんの絡んだ野菜炒めが、なんだかねばついて感じられた。

「どんなひと?」

「だれが」

「お父さん」

「なんで」

「脇腹、痛そうだから」

口に運びかけた箸を止め、ローテーブルに叩きつけるように置いた。キャベツの切れ端とモヤシが散った。

痛《いて》えよ。だけどそれがなんだ。同じように蹴ってやろうか、そうすりゃ「痛そう」じゃなくて実際どれぐらい痛いかわかんだろ。やるのに支障はなかったんだから、彼女ヅラして首つっこんでくんな。都合のいいときだけ利用されてることに気づけブス。

「悪い。ちょっと用事あんの忘れてた」

輔は立ちあがった。もう一刻たりともこの部屋にいたくなかった。思いきって見た結子の表情は、予想に反して哀れみも好奇心も宿していなかった。透き通るような眼差しで、輔のなかのなにかをそっと探ろうとしている。

結子は目をそらし、

「その痣がなかったら、ほかの女と寝てたんだろうと思って叩きだしてたところよ。よかったわね」

と言った。

輔は無言で部屋を出た。結子が逃がしてくれたことがわかった。触れられたくないと輔が願っていることを感じて、結子はわざと嫌味を吐いた。プライドが軋《きし》み、輔は息が苦しいほどだった。いい年して父親に殴られ、たかられる、かわいそうな男。寝るだけの相手だと思っていた女にすら見抜かれるほど、切羽詰まって、みじめな。停めてあった自分の自転車を、輔は力のかぎり蹴りつけた。自転車は耳障りな音を立てて倒れた。

本当はわかっていた。都合よく利用されているのは、結子ではない。輔だ。信之は輔を使って、秘密を体《てい》よく抹消しようとしている。邪魔な小石を蹴り飛ばす飼い犬を観察するように、無感動なまま。

身を翻し、結子の部屋のまえまで戻った。インターホンを押そうとしたところで、ドアが勢いよく開いた。

輔が立っているのを見て、結子は驚いたようだった。素足につっかけたスニーカーを鳴らし、輔の胸もとに遠慮がちに額を押し当ててくる。結子のくぐもった声が、直接胸郭に伝わった。

「追いかけて、謝ろうと思って」

俺も、と言うのもいまさらまぬけに感じられ、輔は抱き慣れた体を引き寄せた。

「輔、なんかこのごろこわい顔してるから」

「いつもこんな感じだろ」

結子が首を振ったので、髪の毛に鼻先をくすぐられ、くしゃみが出そうになった。

「輔は自分で思ってるよりも優しい。だからみんな心配してるんだよ。工場のひとたちも、私も」

この女の優しさの基準はどうなってるんだろうと、あきれるのを通り越して恐ろしかった。輔がなんの思い入れも抱いていない人間が、輔を優しいと感じ、本心から案じているらしいことが不思議だった。

俺がすがれるのも、俺を求めるのも、結局この女しかいないのかと思えば、情けないような気も少し満たされるような気もした。

輔はしばらく、薄暗いマンションの外廊下で結子を抱いていた。

明け方にアパートへ戻った。父親はいびきをかき、部屋には酒臭い寝息と反吐《へど》のにおいが充満している。安酒のカップが、吐瀉物《としゃぶつ》のなかに転がっていた。ずいぶん晩飯を詰めこんだんだなと思った。

父親の首に手を当て、脈動を感じてから、畳を汚した吐瀉物をタオルで拭いた。タオルをすすいでは拭いてを四回繰り返して、やっと始末がついた。指でぬめる反吐が不快だった。流しの排水口が詰まって耳障りな音を立てた。畳に染みが残り、臭気は漂いつづけた。

輔の存在に気づいたのか、父親が寝返りを打ってなにか言った。うまく聞き取れなかったが、どうせ「金」か「酒」のどちらかだろう。そろそろ工場へ行かなければならない。言い争う時間はないので、もうしばらく眠っていてもらうことにした。

コップにウォッカを注ぎ、睡眠薬をパッケージから取りだす。

こんなものがどれぐらい効くのか疑わしい。父親は酔っぱらうといつでも寝てしまうから、効果のほどを判断できない。それでも、鼻をつまんで口を開けさせる。単なる紙切れにすぎない護符を、ありがたがって柱に貼っていた島の年寄りみたいに、みみっちい行為だ。飲ませるのは一粒だけにしている。万が一、父親が死んでしまったときに、怪しまれてはいけない。

睡眠薬を父親の舌に落とし、「飲めよ」と半ば強引に上半身を抱え起こした。父親はうなって目を開け、口のなかの小さな異物になど気づきもせず、輔があてがったコップから素直に酒を飲んだ。

「うまいか？」

輔は父親の耳もとに唇を寄せた。「よかったな」

父親はぐずるように手をばたつかせた。もっと欲しいんだろうか。コップに注ぐのが面倒だったので、瓶の口を直接くわえさせ、ウォッカを流しこんだ。滑り台みたいに抵抗なく、酒がおもしろいほど減っていく。

「なあ、なにが楽しくて生きてるんだ？」

父親はどうせ聞いていないし、聞こえていたとしても理解するだけの頭はまわっていない。そうわかっていても、尋ねずにはいられなかった。

「津波が来なければ、あんたはもうちょっと幸せだったのか？」

そうじゃないよな。父親の頭を膝に載せたまま、輔は笑った。島にいたときも、いまも、あんたは変わらない。大酒くらって、息子を殴って、そんな生活を何十年もつづけている。

俺も同じだ。津波が来て、地球上の人間がすべて波に飲まれても、あんたと俺が生きているかぎり、なにも変わらない。この、クソより価値がない最低の時間はつづく。

父親がむせたので、輔は瓶を置いた。畳に仰向けに寝かせ、腹にタオルケットをかけてやる。父親はゆるゆると眠りの世界へ戻ろうとしている。

作業着に着替えて部屋を出た。

朝の港へ向かって、ゆっくり自転車を走らせる。大通りを行き交う車も、バスの窓に見えるサラリーマンの顔も、輔からはずいぶん遠いところを流れている。

仕事を終え、夕方に帰宅したときには、父親は冷たくなっていた。

死なせるつもりはなかったので、硬くなりはじめた体に触れ、輔は途方に暮れた。

どうしよう。俺が殺したのか？　写真と手紙がどこにあるのかもわからないのに。

父親は寝心地のいい場所を求めて移動したらしく、布団のうえで横向きの姿勢になって目を閉じていた。揺すぶっても、丸太みたいに傾《かし》ぐ手応えがあるだけだ。

わめきたいのをこらえ、輔は布団のまわりを何周もした。

親父は死んで、写真は手に入らなかった。そう言っても、信之は信じないのではないか。俺が証拠を独り占めし、美花や信之を脅しつづけるつもりでいる、と取るのではないか。

輔は震えた。信之は俺を殺しにくるかもしれない。親父が死んだら、秘密を知っているのは俺だけだ。証拠が手に入らないとなったら、信之は確実に秘密を封じこめるために、きっと俺を殺すだろう。

逃げなきゃ。恐慌に襲われかけた輔はドアへ走ろうとし、信之の冷たい目を思い出して踏みとどまった。いや、無駄だ。いくら逃げても追ってくる。役割に忠実な執念深い猟犬みたいに。

じゃあ、どうすればいい。輔は再び、布団のまわりを歩きだした。父親を復活させる奇妙な儀式でもしているような気持ちになった。眩暈《めまい》がし、足がもつれかけても、畳を軋ませてまわりつづけた。

やっぱり、どうにかして写真を見つけ、信之に渡すしかない。でも、渡しても信之が納得してくれなかったら?

そうだ、ネガがある。保険にするつもりで、ネガのことは信之に言っていなかったんだ。輔は思いつきに高揚し、乾いた唇を舐めた。

写真を渡したら、俺はネガを持ってこの町を出ればいい。せっかくここまでたどりついたのに逃げだすのは癪《しゃく》だが、ネガさえあれば、またいつでも信之に接触できる。今度は父親という予想外の妨害なしに、じっくりと。

金も、家族も、信之の持つすべてを少しずつ壊していく。憎悪と嫌悪で、信之は輔のことしか考えられなくなるだろう。

練り直した計画に満足し、輔は何度目かになる家捜しに取りかかった。押入の天袋も、流しの引き出しの裏も、ぶらさがった蛍光灯の笠のうえも、思いつくかぎりの場所を探した。父親の死体のポケットに手をつっこみ、しまいにはズボンとパンツもずり下ろしてみた。

どこにもない。冷たく張りの失われた肌の感触と、父親が失禁していたことを知っただけだった。

においにも気づかなかったぐらい、俺は取り乱しているらしい。落ち着くために、輔は流しで煙草を吸った。信之に返しそびれたセブンスターだ。白い煙が換気扇に吸いこまれていく。

換気扇！　火のついたままの煙草を流しに投げ落とし、ガスコンロを脇に寄せて調理台に上がった。ずれた五徳がステンレスに当たってけたたましい音を立てたが、かまう余裕はない。紐《ひも》を引き、羽根が止まるのを待って換気扇をはずす。

換気口に取りつけられた、鮫のえらのように開閉する三枚ほどの覆い。そのうちの一枚に、透明の袋に入った写真と手紙がガムテープで貼ってあった。逸《はや》る心を抑えて袋を取り、換気扇とガスコンロをもとどおりにした。座るのももどかしく、袋から手紙を出す。

よくある縦長の白い封筒には、「黒川洋一様」とだけ、青いボールペンで書かれていた。震えてのたくるような字だ。二枚入っていた便箋も、なんの飾りも模様もない縦罫《たてけい》のものだった。罫を無視して、ここでも字はのたくっている。

　ずいぶんお会いしていません。

　死ぬとおもったら心のこりがあり、手がみをかきます。山中さんをおぼえていますか。つばきの谷で行えふめいになった。でも本とうは、神社の下のあたりにいます。たすくが山中さんのくつをぬがせるのを、たまたま見ました。じょうめてやろうとおもったけれど、一人だし年をとったし、できていません。じょう仏できなくてかわいそうなので、島にくることがあれば線香でもあげてやってください。神社の下のあたりです。

供よう供ようの日々でした。船から花のたねをかって港にも美浜にもまきました。

でも毎ばんひとだまがみえます。

さようなら。


「なんだこれ」

死をまえにした老人の哀れなうわごとだ。輔が殺したなどと、どこにも書かれていない。鎌をかけられたのかと口惜しく、布団に横たわる父親に目をやった。

そうだ、この死体をなんとかしないと。

輔は鋼管通りの銭湯まで走っていき、ロビーで公衆電話を借りて赤いボタンを押した。警察か、救急車か。救急車だろう。間延びした男の声が、

「はい、一一九番」

と応答した。「消防ですか、救急ですか」

「救急車をお願いします。父が目を覚まさない。死んでいるようなんです」

サイレンが近づき、アパートのまえで止まっても、住人は一人も表に出てこなかった。

毛布に包まれ、担架で運ばれる父親につきそい、輔は生まれてはじめて救急車に乗った。揺れるものだと聞いていたけど、それほどでもないなと思った。

病院で死亡が確認された。医者に事情を聞かれた輔は、ずいぶん飲んでいたようでは

あるが、今朝、自分が部屋を出るときには普通に眠っていたと言った。

この何カ月か一緒に暮らしましたが、父は酒を飲んでばかりでした。それ以前にどんな生活をしていたのかは知りません。十年ぶりぐらいに、急に訪ねてきたので。睡眠薬？　そんなもの、どこで手に入れたのか。父が薬を飲んでいるところは見たことがなくて、気づきませんでした。

父親は心不全ということになった。便利な死因だ。本人に自覚があったかどうかわからないが、糖尿でかなり体が怠《だる》かったはずだ、と医者は言った。生活習慣病と飲酒による、腎機能と肝機能の低下。そこへ睡眠薬と大量のアルコールを摂取したものだから、心臓に負担がかかった。分解が追いつかなかったという意味では、急性アルコール中毒とも言える。

神妙な顔で説明を聞き、なるほどと輔は思った。自堕落な生活をしてきた酒好きにふさわしい、たどりついて当然の末路と見なされたようだ。俺のせいで死んだんじゃない。気持ちが晴れ晴れした。

表は明るくなりかけている。

伝えるのは早いほうがいいだろうと、教えられていた信之の携帯に、病院のロビーから電話をかけた。まだ寝ていると思ったのだが、信之はワンコールもしないうちに「はい」と言った。

「俺だけど」

「どうした」

声はひそめられているが、ぞんざいな口調だ。電話ではいつも、周囲を気にして慇懃《いんぎん》な言葉づかいだったのに。南海子や娘はそばにいないのだろうか。怪訝に思い、

「いまどこだ」

と聞くと、

「出張先だよ」

と信之は苛立たしげだった。「どうしたんだ」

「親父が死んだ」

「写真は！」

「見つけた」

そうか、と信之の声が和らいだ。

「病院からか？　原因は酒か？」

「うん」

「疑われたりしてないか」

「うん」

「大変だったな」

と信之は真情の籠もった調子で言った。「だが、これでずいぶん楽になる。おまえの親を悪く言いたくはないが」

「いや、そのとおりだよ」

輔もやっと、父親は死んだのだと実感できた。もう二度と痛めつけられることはない。自由だ。

「そろそろ写真が見つかるかと思って、準備してたところだ」

信之はめずらしく陽気に言った。

「準備って、なんの」

「おまえの父親を埋める穴を掘ったんだよ」

「どこに！」

「知ったら驚くぞ。今度見せてやる」

「ああ」

喜びと驚きで、輔は声を弾ませた。「本当に、親父を殺ってくれるつもりだったんだ」

「約束しただろう」

信之は笑った。「でも、もう必要なくなったな。埋め戻すのを手伝えよ」

「わかった」

「写真の受け渡しはいつにする。洋一おじさんの葬式は？」

「しないつもりだ。さっき聞いたら、焼き場は明日ちょうど空いてるって話だった」

「じゃあ明後日、仕事帰りにアパートへ寄る」

病院や葬儀会社との打ち合わせが終わるころには、昼近くになっていた。するべきことがたくさんある。

まずは工場に電話した。

「親父が死んだんで、しばらく休ませてもらう。葬式はしないから気づかい無用ですって、社長に伝えといて」

電話を取った結子は、

「お悔やみ申しあげます。社長にお伝えしておきます」

と、きびきび答えたあと、急に声を落とした。「大丈夫？」

「ああ。こう言っちゃなんだけど、せいせいした」

強がりに聞こえるよう気をつけつつ、輔は本心を述べた。「いるものがあるから、あとでちょっと工場に寄る」

病院からの帰りがけに、本屋に寄って地図で住所を調べ、頭に叩きこんだ。大きめの封筒と便箋と黒のボールペンを買って店を出ると、梅雨はすっかり明けたようで、雲ひとつない空が広がっていた。

アパートに戻った輔は、染みついた反吐のにおいを消し去るため、固く絞ったタオルで部屋じゅうの畳を拭いた。布団は丸めて縛り、ゴミ置き場に運んだ。風呂に入りそびれていたことを思い出し、鋼管通りの銭湯へ行った。いろいろな種類の汗をかいたからか、余分なものがすべて削《そ》ぎ落とされた肌はさらりとしているぐらいだったが、いかんせんくさかった。吐瀉物と淀んだ体臭に混じって、なぜかほのかに血のにおいがした。

鉄を断ち切るときと同じにおいだ。

脱衣所で、作業着のポケットに山中の写真とじいさんの手紙が入っているのに気づいた。それなりに動転していたのか、病院まで持っていってしまっていたようだ。落としたりしなくてよかった。入浴のあいだは、財布とともに貴重品用のロッカーに預けておいた。

歯を磨き、髭もあたってさっぱりした輔は、その足でバスに乗って工場へ向かった。磯崎に見つかったら同情されて鬱陶《うっとう》しいだろうなと気が重かったのだが、幸いにもプレス機にかかりきりになっている。輔は作業員に気づかれないよう、素早く事務所に入ってドアを閉めた。

パソコンで入力作業をしていた結子が、立ちあがってなにか言いかけた。輔は「つづけて」と手で示し、自分のロッカーの鍵を開けた。市役所の封筒に入った百八十万と、二枚のネガを取りだす。

結子は心配そうに輔をうかがっていた。

「明日の夜、空いてる？」

と輔は聞いた。「ちょっと頼みたいことがあるんだけど」

結子はためらう様子もなくうなずいた。

アパートの部屋へ帰って手紙を書いた。机がないので襖《ふすま》を開け、押入を上下にわける棚を代用にした。高さが合わず、畳に立ってかがみこむ恰好《かっこう》で書いた。何枚かを反故にし、やっと書きあげた長い手紙と一緒に、工場から取ってきたネガと百八十万円、それから灯台守のじいさんの手紙も封筒に入れた。

輔の大切な保険だ。ガムテープで厳重に封をする。できるだけ丁寧な筆跡になるよう心がけ、地図で調べて覚えておいた住所と、宛名を記した。封筒の裏には、「野村《のむら》結子」とだけ書く。

さすがに疲れ、輔は畳に転がってあくびをした。次の瞬間には、夢も見ずに眠った。

翌日も、雨の気配はどこにもなかった。

冠婚葬祭用に一着だけ持っている黒いスーツを着て、輔は火葬場の庭で時間をつぶした。青々とした芝生の生えた庭を歩いていると、ピクニックにでも来たような気がしてくる。煙の出ない最新式の施設は、外から見ると清潔で機械化された食品工場に似ていた。

骨壺を抱え、バスを乗り継いで帰った。

Tシャツと作業ズボンに着替えて一息つく。スーパーのレジ袋に骨壺の中身を移し、近所の公園へ行って便所に流した。粗末な壺と木箱は、砕いて分別しゴミに出した。

二度と会わずにすむ素晴らしさ。

津波の夜にさらわれるはずだったものを、やっとしかるべき居場所に押しやることができた思いがした。

日が暮れるのを待って、自転車で結子のマンションへ行った。風が吹く端《はし》から汗がにじむような蒸し暑さだ。

エアコンを利かせまくった部屋で夕飯を食べた。結子は「寒い」と文句を言ったが、輔は聞こえないふりでニュースを見た。どこかの公園で、子どもが噴水で遊んでいた。

「忌引きついでに、明日からちょっと旅行でもしてこようかと思ってさ。もし、一週間経っても俺が工場に顔を出さないようだったら、これを投函しといてくれる」

封筒を差しだす。結子は宛名を見て、

「このひと、だれ？」

と言った。嫉妬の色を聞きわけ、輔は笑った。

「遠い親戚」

「なんで自分の名前で出さないの」

「この家の旦那には嫌われてる。うちの親父が以前、奥さんに手を出したんだ。旦那が俺の名前なんか見たら、『あいつの息子が、なんの用だ』って、封を開けるまえに破り捨てるかもしれない」

中身は親父のちょっとした遺品だよ。旦那の留守を見はからって、直接届けようかとも思うんだけど、まあ念のため、俺の帰りが遅れるようなら投函してもらいたいんだ。

問われるがまま説明すると、結子は納得したらしく、鏡台に封筒を立てかけた。少なくはない金が入っていることは重さと感触でわかったはずだが、もう詮索はしてこなかった。

「忘れないように、ここに置いておくね。頼みって、これ？」

「あんな親父でも、遺品だと思うとほかのやつには預けられない」

人工の冷気のなか、タオルケットにくるまり抱きあって暖を取った。

「旅行、どこに行く予定なの」

結子に優しく背中を撫でられ、輔は半ば夢のなかで思いをめぐらせた。

「まだ決めてないけど、できればきれいなところに行きたい。海と山があって、のんびりできるようなところ」

だが、思い描く場所はもう、この世のどこにもないのだとわかっている。あの世はない。

遠い日に波に飲まれた灯台の、警鐘の残滓《ざんし》をなぞって蟬が鳴く。

四

娘が朝の食卓で拗《す》ねている。

理由は特にないらしい。ただ不機嫌に、スクランブルエッグを箸で突《つつ》く。

小さな生き物のなれのはて。信之《のぶゆき》はふと、獣にかじられた西村《にしむら》のおばちゃんの、尻からあふれていた黄色い物体を思い浮かべる。あれはなんだったのだろう。脂肪か、腐乱した肉か。

「いいかげんにしなさい」

妻が叱りつけると、娘は箸を置いてきつく唇を結んだ。

「食べないと遅刻するよ」

と信之が言っても、頑固に黙っている。

「放《ほ》っといていいわよ」

洗濯機に呼ばれた妻は食卓を離れた。「このごろ反抗期みたい」

「それは早いな」

信之は笑った。「眠くてぐずってるんだろ」

「ぐずってないもん」

と娘は言う。「はんこうきだもん」

「はいはい」

信之は娘の皿に手をのばし、食パンを取った。「おかずをちゃんと食べたら、パンに絵を描いてあげる。なにがいい？」

「ウサギ！」

途端に娘は、ぐちゃぐちゃにした卵とトマトを食べはじめた。

「ちょっと、ちゃんと『三角食べ』をさせてよ」

ベランダへ洗濯物を運ぶ妻が文句を言ったが、信之は聞き流した。冷蔵庫からチョコシロップを出す。たまに、妻がおやつにクレープを焼くときに使っているものだ。結婚し、子どもができてはじめて、信之はクレープを食べた。皿に並べられたバナナを生地に載せ、生クリームとチョコシロップをかけて包む。粉だな、と思った。手巻き寿司と同様に、家族で楽しく食べるものらしいから、うまそうな顔をしなければいけない。バナナを娘に譲ってやりつつ、そんなことを考えた。

食パンにウサギが描かれていくのを、娘は一心に見つめている。機嫌はすっかり直ったようだ。ウサギの耳に花を描き添えてやると、娘は喜んで手を差しだした。食パンを渡し、洗面所へ立つ。

歯を磨き、髭《ひげ》の剃《そ》り残しがないか点検した。鏡には見慣れた顔の男が映っている。笑え。いつも穏やかに、尾を引く影などないかのように。

「いってきます」

声をかけると、妻と娘が見送りにきた。いつもどおりの朝だ。娘は唇の端にチョコをつけている。

「パパー、今日の夜、お絵かきしよう」

「ああ、早めに帰れたら」

信之は微笑を浮かべ、玄関で靴を履く。

「いってらっしゃい、気をつけてね」

いつもより二秒長く、妻の視線が注がれていた気がする。妻とはここのところ寝ていない。そろそろまずいか、と信之は思い、こぼれそうになったため息をドアを閉めることで塞いだ。

家族を持とうと決めたのは、人並みの暮らしをしたかったからだ。だれにも求められず、必要とされず、波間に漂うような日々を送るのはもう限界だった。つなぎとめてくれるものがないと、海の底へ引きずりこまれてしまいそうになる。

妻と娘を大切だとは感じる。その思いを言葉や行為で表したいといつも努力している。しかしうまくいかない。参考にするべく、かつて自分が捧げ、自分に与えられた愛情を思い起こそうとしても、真っ暗な空間が広がるばかりだ。どこを見て、どちらへ足を踏みだせばいいのか、皆目わからない。潮の香りを宿した夜の森。

向河原《むかいがわら》駅へ着くころには、家族を忘れた。

混みあう南武線に揺られ、今日一日の段取りを考える。仕事など楽なものだ。くすぶる苛立《いらだ》ちを抱える妻や、男にいたずらされたことも理解できぬ幼い娘の相手をするよりずっと。

信之にとって、ほとんどの出来事は単なる点だった。細かい点がつらなって、一見すると線の形をなし日常を貫いているが、近づくとそれぞれはあくまで独立した点であって、たどって遡《さかのぼ》ることはできない。

生き物を含めたあらゆる物体が原子からなり、その原子もさらに小さなものの集まりであって、個として自立して見えるものが実は隙間だらけなのと同じだ。

この形をとるのは一時《いっとき》のこと。いつかはなにもかもが塵《ちり》になって、単なる点の集合体だったことを明らかにするだろう。

ひとが大勢詰まっているのに車内は静かだ。窓を流れる、埃《ほこり》っぽい春の街並みを眺めた。

川崎駅が近づく。いつのまにか桜はすべて散っている。海に近づく。

新しい年度がはじまったばかりで、建物全体を心なしか慌ただしい雰囲気が包んでいる。信之もそのさなかにあって、午前中は部署内の会議、午後は書類の作成と出入り業者との折衝で過ぎていった。

港を管理し整備する部署に配属されたのは皮肉なめぐりあわせだ。総務でも福祉でも水道料金の未納者の元栓を閉めてまわるのでもいい。市役所の仕事はほかにもたくさんある。なぜよりによって港湾局なのかと、二年前に辞令を受けたとき体が震えた。呼ばれている。なにものかが低く轟《とどろ》き呼んでいる。

もちろん、一瞬の震えなどすぐにどこかへ消え去った。四角い人工島が並び、巨大な工場とクレーンがひしめきあう川崎港は、およそ海のイメージからかけ離れている。それでも、臨海公園の樹木や設備をチェックして歩く昼下がり、着岸したタンカーを横目に遊歩道の街灯を確認する夕暮れどき、信之はたしかに生臭い潮のにおいを感じるのだった。

明かりが灯《とも》る夜の工場群は、巨大な生き物のように禍々《まがまが》しくうつくしい。蒸気と煙を上げる灰色のボディは、ひとと海に似て休みなくなにかを生みだしつづける。

川崎が住処《すみか》になったのは偶然ではない。もしかしたら築けたかもしれない楽園、二人だけの王国につながっていたくて、海のある町を選んだ。

西方に浮かぶ浄土を夢想するように、いまの美浜島《みはまじま》の様子を脳裏に思い描いてみる。

だが何度試みても、瓦礫《がれき》と白骨が積み重なっているばかりだ。信之はそれが現実の光景だとほとんど信じた。二十年ものあいだ、実際には島影を見たことすらないのに。

浜辺に打ち寄せる波が砂を湿らせつづけるみたいに、きりもなくむなしい。

美とも平安とも無縁だった。破壊の大波に飲みつくされるまえも、島は狭い世界に生きる人間の嫉妬と猜疑《さいぎ》と惰性に満ちて、黒々と葉を繁らせていた。その木には血の色の花が咲いていた。

帰りたいとは思わない。そのくせ川崎に住むのは、常に墓標に臨んで生きるのと同じかもしれない。

島は今夜も確実に、海の彼方に存在する。そこには過去の信之が眠っている。

窓の外は暗い。めずらしくトラブルも行きちがいもない一日を終えた。娘との約束を果たせそうだ。

鞄《かばん》に手をのばしかけたが、そういえば今朝、届いた郵便物の仕分けを途中にして会議に出たのだったと思い出す。未決ファイルに挟んでおいた何通かの封筒を、なかをたしかめて要不要に振りわけていく。

書類封筒の狭間《はざま》に、写真サイズの小さな封筒があることに気づいた。差出人の名前はどこにも書かれていなかったが、「黒川《くろかわ》信之様」という宛名の文字を見た途端、古い木造校舎で黒板に向かう美花《みか》の横顔が甦《よみがえ》った。

信之は銀色の鋏《はさみ》で封を切った。滑稽なほど手が震えているのがわかった。なかには白い便箋が一枚。日時と、「九段下　グランドパレス　二二一〇号室」とだけ、青いインクの万年筆で記されていた。

なつかしい筆跡を指で撫《な》で、しばらく便箋を眺めた。それから封筒ごとシュレッダーにかけ、机のうえを整頓して「おさきに」と部屋を出た。

部署を異動するたび、篠浦未喜《しのうらみき》の所属事務所に年賀状を送った。かぼそい糸がつながるよう願って。きみをいつも見守っていると伝えたくて。「迎春」と印刷されたお定まりの年賀状の片隅に、職場の連絡先と「今年も応援しています」という当たり障りのない一言を書いた。そうしておいてよかった。

美花が俺を呼んでいる。

信之は喜びに満ちて電車に乗った。九段下もグランドパレスもよく知らない。美花が指定した週末まではまだ数日あったが、向河原からの行きかたを確認しておかなければと、車内で早速、定期入れに入れてある路線図を眺めた。

美花と最後に会ったのは、高校の卒業式の日だ。

それまでも信之は、親戚に引き取られた美花を思って、昭島《あきしま》の施設から電話や手紙で何度も連絡した。だが、美花はなぜか一度も応じてくれなかった。

高校卒業と同時に施設も出ることになった信之は、一人暮らしをする予定の川崎のアパートへ向かう途中、大幅に寄り道をして大和《やまと》に住む美花を訪ねた。小さな一軒家から出てきた美花は、門扉にもたれて信之に言った。

「なに？」

美花はあいかわらずきれいだった。島にいたときとちがうのは栗色に染めた髪で、しかし艶《つや》はそのままだった。制服のスカートからまっすぐな脚がのびて、春もまだ浅いというのに素足に華奢《きゃしゃ》なサンダルを引っかけていた。なめらかな踵《かかと》と、ペールピンクのペディキュアが塗られた爪を覚えている。

「川崎市役所に就職が決まった」

と信之は言った。美花の反応を待ったが、沈黙がつづいただけだった。聞こえなかったのか、と不安になるころようやく、

「ねえ信之」

と美花は優しい声音で言った。「私はいま、叔父夫婦と暮らしてる。叔父にはよくしてもらってる。卒業後にどうするかも考えた。わかる？」

信之は黙っていた。

「信之に会うのはつらい」

と美花はつづけた。どうしてだろう、と信之は思った。膿《う》んだような甘い日々の果てに生まれ落ちた秘密を、この世で共有するのはお互いだけなのに。

アパートと市役所の連絡先だけメモして渡し、住宅街の道を駅まで一人で戻った。

しばらくは美花からの接触を待った。電話が鳴るたびに期待し、玄関を出入りするたびに必ず郵便受けを覗《のぞ》き、ドアが叩《たた》かれるたびに表に立つ美花の姿を思い浮かべた。そのうち、なにを待っていたのか忘れた。忘れて、飯を食い眠り仕事をし女とつきあった。

わかる？　と美花は聞いた。信之の魂の核となる部分が失われたことだけはわかった。もしも転生《てんせい》というものが本当にあるのなら、それは死後に起こるのではなく、一度の生のなかでの変節を言うのだろう。空いた穴の周囲をまわりつづける新たな生がはじまったのなら、そうするまでだ。ほかにどうしようもない。体はまだ呼吸している。

だが、やはり美花も俺を忘れていなかった。俺を呼び、求めている。

薄暗い転生後の生活に、前世からの光が射してきた思いがする。

美花は輔《たすく》になにか言われたのかもしれない。輔はなにが目的なのか、信之のまえに現れ、家族のことを探り、「証拠もある」などと思わせぶりな電話をしてくる。うるさいネズミだと思って無視していたが、美花にも囓《かじ》りつこうとしているのなら、放ってはおけない。

冴え冴えと夜空に輝く星のように思考がめぐる。

深い海の底に眠る秘密を呼び覚まそうとするものは、すべて葬ってやらなければならない。

美花に指定されたとおり、土曜日の午後一時にグランドパレスに行った。古そうだが重厚な感じのするホテルだったので、ロビーで少し気後れした。妻には休日出勤だと偽って出てきたせいで、いつもの通勤鞄を肩からさげていた。信之はスーツを着て、いつもの通勤鞄を肩からさげていた。あまり洒落《しゃれ》た恰好《かっこう》ではないが、そもそも洒落た普段着など持っていない。いつもより少し時間をかけて、鏡で髭の剃り残しがないかチェックしたから、まあ大丈夫だろう。

エレベーターと思《おぼ》しき壁面の窪みを目指してロビーを横切ったら、そこはトイレだった。気を落ち着かせるために顔を洗い、鏡に映った自分を見て、年を取ったなと思った。

今度こそエレベーターに乗り、二十二階に上がる。廊下は狭く、照明は抑えぎみだった。ドアのプレートをたしかめながら進む。二二一〇号室は、廊下の一番奥にあった。

美花がドアを開けてくれるものと構えていたが、ノックに応えて現れたのは、眼鏡をかけた地味な感じの女だった。年は信之や美花と同じぐらいか。女は「どうぞ」と言い、さきに立ってなかへ導いた。短い廊下を抜けると、視界が拓《ひら》けた。

広々とした部屋は二方向が大きな窓で、ビルの並ぶ街を見晴るかすことができる。明るい室内にはソファセットとダイニングテーブルが設置され、居心地のいい個人の家の居間のようだ。

ベッドはつづき部屋のほうにあるらしい。地味な女が無言でその部屋へ消えるのを待って、ソファに腰かけていた美花が優雅に立ちあがった。

「呼びだしてごめんなさい」

信之は圧倒されて美花を見ていた。テレビに映しだされる篠浦未喜は何度も目にした。だが実物の美花は、信之の記憶に残る姿よりもいっそう、澄んだ氷のようにうつくしい。肌はなめらかな光沢を帯びている。シンプルな黒いワンピースから覗く喉にも胸もとにも、皺《しわ》も染みもひとつもない。

信之のうえに降りた歳月は、美花のうえにはちがう速度で降り注いでいるとしか思えなかった。唯一、重ねたぶんの年齢を感じさせるのは少し低くなった声で、それすらも落ち着きと甘いかすれを感じさせる。

操られるように美花に近づいた。美浜島にいたころと変わらず、美花は無邪気に信之の肩に額を押しつけてくる。夢中になって抱きしめると、美花の体は猫みたいにしなやかにたわみ、信之の腕から抜けだした。

「マネージャーが隣にいるから」

美花に制され、手を取って誘導されて、信之はソファに腰を落ち着けた。それを機に、さきほどの女がポットを持って境のドアから現れ、コーヒーの用意をした。番犬みたいだと思うと腹立たしく、信之は黙っていた。湯気の立つコーヒーカップを信之と美花のまえに置くと、女はまたベッドルームに消えた。

「輔から、こんなものが送られてきた」

美花がローテーブルにすべらせたものを見ても、それがなんなのか、はじめのうちは判別がつかなかった。写真をカラーコピーしたものらしい。どす黒くふやけたなにかが写っている。何度か角度を変えて紙を眺め、信之はやっと、

「ああ、山中《やまなか》か」

と思い当たった。「人相がちがっててわからなかった」

「あなたのところには届いてないんだ」

「ちょろちょろしてはいたけれど、面倒だから放っておいた」

「信之らしい」

美花は微笑《ほほえ》んだ。「こんなもの、なんで輔が持ってるんだろう。どうしたらいいのか、困ってるの」

「写真を渡すように言えばいい」

「どうやって？　私は輔になんか会いたくない。迂闊《うかつ》に動いて、どこから話が漏れるかわからないし」

「じゃあ、俺がやる。折を見て、輔の勤め先に行ってみる」

たしか、アパートの住所も少しまえにファックスで知らせてきたが、会うつもりもなかったので捨ててしまった。地図も描いてあったはずだから、取っておけばよかった。

「自宅もわかるわよ」

と、美花が新たな紙をすべらせた。輔が送ってきた手紙だった。

篠浦未喜（中井《なかい》美花）様

美花ちゃん、ひさしぶり。テレビでいつも見てる。いつもって言っても、俺の部屋テレビないから、近所の健康ランドとかでだけど。悪いんだけど、以下の住所まで金を送ってください。写真を見てもらえればわかると思う。じゃあまた。

黒川輔

居場所も正体も、まったく隠す気はないらしい。あっけらかんとしている。だからこそ逆に、脅迫だと訴えにくい。輔は手持ちのカードの威力を知っている。

信之は輔の住所を手帳に書き写した。

「ふざけてるな」

「輔は昔からこんな感じじゃない」

美花の言うとおりだ。すぐに調子に乗るところは以前のままだ。鬱陶《うっとう》しい。妻のことまでは目をつぶった。同意があるなら好きにすればいいと放っておいた。妻が輔のところで苛立ちや性欲を発散してくるというなら、こちらは負担が減って助かる。ただ、美花にまで脅しをかけるとなると話はべつだ。思い知らせてやろう。信之は思った。おまえなんか卑屈で卑小な、気の向くままだれかに痛めつけられるにふさわしい存在なのだと、輔に思い出させてやろう。

美花はソファに載っていた茶封筒を、信之のまえに置いた。札束がいくつか入っているらしき厚みがあった。

「金を一度渡したら、せびられつづけるぞ」

「これをなにに使うかは、あなたの勝手」

「俺は金なんかいらない」

「いいから持っていって」

闇夜のような目が輝いて信之を見据えている。「お願いね」

仕事代ということなのだろうと信之は思った。美花を安心させるためにも、ひとまず受け取っておこう。ちゃんと任務を終わらせてから、報告がてら返しにくればいい。

信之が鞄に茶封筒をしまうと、美花は笑った。

「信之、結婚は？」

「ああ。娘が一人いる」

「いくつ？　なんて名前」

「五歳だ。椿《つばき》」

その名を聞くと急に、美花は表情を強張《こわば》らせてうつむいた。

「幸せそうでよかった。私はだめ。凍りついて死んでしまいそうになる」

どうして。俺は自分が幸か不幸かなんて考えもしない。きみと会わなくなってから、幸も不幸も消えてしまった。ただ生きているだけだ。きみが傷つき、凍りついて死ぬことがもう二度とないようにと、ただそればかりを願って生きていただけだ。

美花を傷つけ、損なおうとした男はもうこの世にいない。俺が殺した。でも、まだたりないのか。二十年を経て、秘密がよみがえろうとしているからか。

「暴力に暴力で返したものは、もう人間の世界にはいられないのかもしれない」

美花は疲れたようにつぶやいた。

「罪という意味で？」

と信之は聞いた。殺人は露見せず、信之は罪には問われなかった。だいいち、信之はあれを罪だとは思っていない。するべきことをしただけだ。

「いいえ」

美花は少し考えているようだったが、うまい言葉が見つからなかったのか首を振った。

「ただ、人間のふりをするのが、ときどきすごく難しい。ご飯を食べたり、だれかとしゃべったり、幸せを求めようとしたり、そういうすべてが。信之はそんなことない？」

罪悪感ということか？だったらそんなもの感じる必要はない。暴力をかいくぐり、俺もおまえも生きのびた。怯《おび》えなくていい。何度でも殺してやるから、安心して息をするといい。おまえのために、何度だって殺してやる。

美花は力なく微笑み、ソファから立った。

「うまくいったら連絡して」

携帯電話の番号を記したカードをもらい、信之は地味な女に戸口まで見送られて部屋を出た。

輔の住む蓮華《れんげ》荘は、木造二階建ての古いアパートだった。信之は臨港《りんこう》中学の手前で立ち止まり、夕闇に沈みつつある建物を観察した。

外階段も手すりも郵便受けも、およそ金属という金属が錆《さ》びている。戸板はふやけて色があせ、八室あるらしい部屋のうち、ひとの住む気配があるのは半数に満たなかった。アパート全体が、土台から少し傾いているように見える。

こんなところで、テレビも電話もなく暮らしているのか。輔と寝たという妻も、相当の物好きだ。信之は軽蔑よりむしろ感心を二人に対して覚えた。

「出てけ！　これ持って今夜は帰ってくんな！」

二階の一番端のドアが開き、輔の怒鳴り声とともに中年の男がまろびでてきた。男は閉まったドアに向かってなにやらわめいていたが、やがて諦めたのか、ふらふらと外階段を下りてくる。

信之は電柱の陰に身を寄せ、大通りへ歩いていく男を目で追った。

あれは、黒川洋一《よういち》。輔の父親だ。とっくに酒で体を壊しただろうと思っていた。まだ生きていたのか。

事情が少しわかり、信之はほくそ笑む。役所が忙しい時期だったが、無理をしてでも、今日ここへ来てよかった。

輔はどうやら、父親に入り浸られているらしい。勤め先の工場で会ったときには、父親のことなどおくびにも出さなかったから、たぶんあのあと疫病神をしょいこむことになったのだろう。

美花に写真を送りつけた理由もわかった。父親に金をせびられ、信之よりもいい金蔓《かねづる》になりそうな美花にターゲットを移したにちがいない。

おかしいと思っていた。輔はなぜか昔から、うつくしい美花にはまったくと言っていいほど興味を抱かず、信之のあとばかりついてまわりたがった。信之はそれを気色悪く思い、こいつホモなのかなとも考えたのだが、どうやら輔の執着は、雛《ひな》がはじめて見た動くもののあとをついて歩くのと似た習性のようだった。信之が輔の兄貴分で、一番身近な存在だったから、輔は信之の歓心を買いたがる。

再会してからも輔は変わらず、生来の粘着質を発揮してちょっかいをかけてきたが、信之は相手にしなかった。適当にあしらい、鬱陶しさがいよいよ高じてきたら突き放せばいいと、輔の扱いを心得ていたからだ。

輔が信之ではなく、美花に写真を送りつけたことだけが不思議だった。だが、洋一を見て疑問も晴れた。

輔はあの父親に弱い。どうしたって逆らえやしないだろう。

かわいそうに。信之は笑いを嚙《か》み殺し、細い道を数歩で渡ってアパートの階段を上った。輔はどこまで行っても、虐げられ、利用され、踏みつけられて道ばたに打ち捨てられるための生き物だ。

「こんな時期に大掃除か?」

そう声をかけた信之を見て輔が泣きそうな顔で笑うのを、冷ややかな心地で見守った。子どものころ、眠たくてぐずっているときも同じような顔をしていた。かわいそうでかわいい輔。

さあ、どうしてやろう。

写真はどこにあるのか。秘密を知っているのはだれとだれなのか。金目当ての単純なに。

輔は右手に鍋を持ち、左手で信之にすがってくる。信之は薄汚れた部屋に躊躇《ちゅうちょ》なく上がった。慎重に情報を引きだし、輔を使えるだけ使って、効率よく目的を遂げるために。

脅迫なのか。

まずは洋一に消えてもらおう。

美花から預かった三百万に手をつける気はなかった。茶封筒に入った金はそのまま、職場の自分の机、鍵のかかる引き出しにしまった。そのかわり輔には、積み立てておいた金を三百万、市役所の書類封筒に入れて渡してあった。美花が寄越したのは帯もついたピン札だが、信之が銀行で下ろしてきた金には皺が寄っている。輔にはちょうどいい。

信之は週に一、二回、市役所近くのコンビニで輔と会った。会うたびに、自分の小遣いからもいくらか渡した。

すべて、洋一に酒を飲ませるためだ。

洋一がアルコールで身を持ち崩しているのは、一目見ればわかる。信之は川崎駅前の病院で睡眠薬を出してもらい、自分の名が書かれた袋は捨てて、中身だけを輔にやった。寝ぼけているときなら、写真の隠し場所を漏らすかもしれない。こっそり酒に混ぜて飲ませてみろ、と言い添えて。混ぜる薬の量は少なくていい。大量の酒をひっきりなしに飲んでいれば、遠からず自滅する。気長なようでいて、一番安全で確実な手段だ。

三百万が尽きても効果がなにもなければ、もっと直接的な行動に移せばいい。だが、そのまえに輔が父親との生活に耐えきれなくなりそうだと、信之は踏んでいた。

三百万は新居購入用の金だが、なくなっていることに妻はしばらく気づかないだろう。信之が銀行に振り込まれた給料を渡すと、妻は一番に娘の教育費を、次に新居のための毎月の積み立てを選《よ》りわける。積み立ての金を、「これ、お願いね」と信之に突き返し、あとは満足して通帳に触れようともしない。

あの無防備さはなんなのか。信之を信頼しているのか、長期的な家計の展望を立てるのは夫の役目と思っているのか。多いとは言えない生活費を、妻は堅実にやりくりする。文句はない。だが、不気味だ。

団地の一室で飯を作り掃除と洗濯をし信之と寝る。熱中することといったら、娘の教育だけ。金を稼ぐ手段を持とうとしない妻は、サバンナの真ん中でのんびりと寝そべる草食獣のようなものだ。首筋に牙が突き刺さっても、おとなしく長い睫毛《まつげ》を伏せている。

それが夫への信頼から来る態度なのだとしたら、信頼とは怠惰と同じだと信之は思う。そんな妻を、かわいらしいとも感じる。力を抜いて身を預けてくる生き物の体温。殺すのも生かすのも信之の意のままだ。腹立たしく、愛おしい。首にまわした指に少しずつ力をこめて、どこまで抵抗をしないのか試したくなる。

そんなことを考えながら、ひそかに蓮華荘の様子をうかがった。

このごろ、朝晩欠かさず通行人を装って蓮華荘の周囲を見張っているので、早出も残業もできず、役所の仕事が進まない。追い打ちをかけるように、妻からは「忙しいの?」と心配される。憂鬱でたまらない。

だが今夜は、よろめきながら大通りから歩く洋一を見ることができた。夜目にも赤黒い顔色をし、酒精を振りまく洋一は、大通りからアパートまでのあいだに何度も怠《だる》そうに足を止めた。手すりにすがるようにして外階段を上がっていく。信之の言いつけどおり、輔はちゃんと酒と薬を与えているようだ。

どうなるだろうと興味を持って、信之は電柱の陰にとどまっていた。一度はやめたはずなのに、また癖になりつつある煙草をくわえ、火をつける。

輔の部屋から、怒鳴り声と鈍い物音があたりに響いた。酔っぱらった洋一が輔に暴力を振るっているらしい。物音の激しさに、信之は笑いとともに唇から細く煙を漏らした。パトカーが来るでも、窓を開けて注意するひとがいるでもない。喧嘩《けんか》も暴力もいつものことだと、町は荒《すさ》んだ気配を漂わせ、無関心に静まりかえる。

洋一は体を壊しつつあり、輔は痛めつけられている。

信之は満足を覚え、家に帰ることにした。

向河原の団地も、淀みかげんは蓮華荘のあるあたりといい勝負だ。おせっかいな住人の目があるぶん、こちらのほうがより質《たち》が悪いかもしれない。

マンションを買う金が、アル中が際限なく消費する酒に変わったと知ったら、妻はどうするだろう。混乱し泣きわめいてなじる顔を、内心で嗤《わら》いながら見物したい気もした。

なぜ妻が新しい住処を欲しがるのか、信之にはよくわからない。そのほうが気を使わなくてすむし快適だと妻は言うが、マンションだろうと一戸建てだろうと近所づきあいからは逃れられないし、いまの団地だって住むのに不自由はない。駅からも近い。結局、見栄や自尊心の問題なのだろうと思うと、どうでもよくなる。どうでもいいから、妻のやりたいようにやればいいと思う。

見栄と同じ重さの家屋に押しつぶされるさまなど、妻は決して想像しないのだろう。

娘はとっくに眠っていた。

「パパを待ってる、って大変だったんだから」

と妻は言う。

「やっぱり残業になったんだ。遊ぼうなんて約束しなければよかったな」

いたずらに期待させて、かえって娘にかわいそうなことをした、という意味で言ったのだが、妻はそう取らなかったようだ。

「そうね、あなたはあんまり約束しないもんね」

さびしそうでもあり嫌味でもある口ぶりだった。

そういえば娘が生まれたばかりのころ、

「どうしてあんまり写真を撮らないの」

と言われたこともある。自覚がなかったので、少し驚いた。

「そうかな」

「そうだよ。近所のパパたちや友だちのご主人は、写真だビデオだって大変なんだから。あなた、椿がかわいくないの？　赤ちゃんのときの椿は、一生に一度、一瞬で過ぎていっちゃうんだよ」

娘をかわいいとは思う。だが、どうしてそれがカメラやビデオで記録することにつながるのかわからない。

脳細胞は刻々と崩壊へ突き進む。俺の死とともに消える個人的な記憶を、記録にしてまで残して、なんの意味がある。

信之は子どものころの写真を一枚も持っていない。全部土砂に埋もれた。両親と妹の声も顔も薄らぎとうに忘却の果て。

居間のローテーブルに、発泡酒とあたため直された一人ぶんの夕飯が並べられた。台所の食卓で食べると、物音で娘が起きてしまうかもしれないから、という理由だった。

しかしもちろん信之は、その理由の裏に妻の誘いを感じ取った。

娘に物心がつくようになって以降、ほとんどいつも居間のソファでセックスしている。

妻が新居を欲しがるのは、夫婦だけの寝室が欲しいからかもしれない。ごめんだなと、信之は意地悪く考える。

ソファに座って背中を丸め、ローテーブルに載った皿に箸をのばした。食べにくいがしかたない。発泡酒を飲みたい気分でもなかった。ただ、グラスまで冷やして帰宅を待っていた妻の機嫌を損ねたくはないし、薄いアルコールぐらい摂取したほうが勢いも出るかと思い、義務として体内に流しこんだ。

妻は隣で、テレビのリモコンを操っている。食べ終わってからでいいか。食器の片づけを終えるのを見はからったほうがいいか。汗もかいたことだし、シャワーを浴びて歯を磨いてからにするべきか。

子どもまでいる夫婦のあいだで、どうしてこんなにタイミングに気を揉《も》む必要があるのか、たまに笑いたくなる。だが、いつものことだった。信之はいつでも、相手の女を臆病にうかがってからでないと抱くことができない。いやがっていないか、痛みや嫌悪の色がないか、行為のさなかも観察する。

おかげでこれまで、つきあっていた女にも妻にも、不満を訴えられたことはない。演技ではないかと疑いますます観察したが、どうやらそうでもないようだ。

愛しいと感じ大切にしたいと思うからこそ、慎重にタイミングを見きわめ観察するのだが、しかしそればかりではなかった。

信之はセックスがこわかった。複雑で奥深くなかなか正体を現さない心と体を持つ女を抱くのがこわかった。慎重さと観察を欠いた途端に、つながった部分から体が裏返り、快楽に逆襲されるような気がしてならない。

いつからそんなふうに感じるようになったのか、なんとなくわかってはいる。地を這《は》い爪を立てる白い腕。苦悶《くもん》か喘《あえ》ぎかわからぬ息を漏らし、暗闇で信之を見る輝きを帯びた目。本当はだれでもかまわないの。かきまぜてくれるなら。貫き突きあげこの体で気持ちよくなって、それで私の言うことを聞いてくれるなら。いくらだってうつろな穴を使うといい。

記憶をたどりかけた信之の耳に、美花の声が届いた。

「おかえりなさい。遅かったのね」

思わず顔を上げると、テレビのなかで篠浦未喜が微笑をたたえて立っていた。頬に視線を感じた。妻が見ている。信之の反応を観察している。試したのかと苛立ちがこみあげ、いや妻はなにも知らないはずだと平静を装う。

「篠浦未喜って、微妙な女優よね」

と妻は言った。目的を達したということか、リモコンはすでにローテーブルに戻されている。

「最近では名の知れた監督の映画にしか出ないのに、料理酒すれすれのパック酒のＣＭ

をずっとやってるし。ミステリアスなんだか安いんだか、路線がわからない。もうちょっと仕事を選べばいいのに」

おまえみたいにどこにでもいる、退屈な女がえらそうに。美花は昔もいまもほかの女とはちがう。三十を過ぎても蠱惑《こわく》と翳《かげ》りを暗黒の光のように放っている。退屈な女と結婚した俺も、美花にはふさわしくない退屈で凡庸な男か。そう思うと、自分にも憤りを覚えた。

「いろいろあるんだろ」

「いろいろって?」

「事務所の力とか、いろいろさ」

「なあに、それ」

「電車の中吊りを見て、知恵をつけてるんだ」

妻は声を立てずに笑う。「芸能通みたいなこと言ってる」

信之は精一杯おどけてみせ、それから急に面倒くさくなった。箸を置き、妻の肩を押す。

片足をソファに乗りあげたところで、

「待って」

と言われた。「話をしたい」

どうしてもセックスしたいわけではなかったが、拒まれるとまた苛立ちがこみあげた。朝から鬱々とした気分で一日を過ごし、夕飯の味もよくわからず、飲みたくもない小便みたいなエセ酒を飲んでみせたのは、なんのためだと思っている。試すな。はぐらかすな。やりたくないなら、恩着せがましく帰りを待つのはやめろ。娘と一緒にさっさと寝ててくれ。

表情には出さず体を引き、

「なんの話を」

と尋ねた。妻の二の腕をやわらかくつかみ、引き起こしてやる。

「このごろ、煙草のにおいがする。だれかと会ってるの?」

おまえの浮気相手とだよ。あの卑屈で醜悪な最低のクソ男のおかげで、悪い習慣が復活したんだ。

そう言って張り飛ばしてやればどんなにすっきりするだろう。感情の振幅が激しくなりすぎていると感じたが、抑えられなかった。

俺はおまえとはちがう。退屈に飽いて些細《ささい》な刺激を求め、娘が変態につっこまれているそのときにも黴《かび》くさい部屋にいたおまえとはちがう。浮気がばれているとは想像もしないまぬけな女を、知らないふりで愛するまぬけな亭主を演じてやってるのに、なにが不満だ。どの面《つら》さげて俺の浮気を疑う。

本当に、おまえ自身に興味を持って近づいてくる男がいると思うのか？

決壊しそうな言葉を、二回呼吸するあいだになんとか押し戻した。妻は信之のなかの奔流に気づかなかったのか、

「それとも」

とつづけた。「悩みでもあるの？」

「なにも」

「でも、私が妊娠してからずっと、煙草をやめてたじゃない」

給料が少ないとか貯金にもっと協力してよなどと言って、数百円の煙草を買うにもいい顔をしなかったのはだれだ。

「あんまり禁煙禁煙って言われるから」

信之は妻を安心させるために微笑んでみせた。「同僚とたまに喫煙コーナーに行くんだ。椿と同じで、季節はずれの反抗期だよ」

「そう」

妻はなぜか落胆しているように見えた。信之も浮気していれば、少しは罪悪感が軽減されたのに、ということだろうか。ろくな生命保険もかけていないのに、副流煙だらけの喫煙コーナーなんか行って早死にされたら困る、ということだろうか。

皮肉な考えをめぐらせたが、すぐにそうではないと気づいた。妻はぼんやりと信之の

手を眺めている。信之に求められていないのではないかと、不安に思っているらしかった。

その証拠に、遠慮がちに信之の腕に自分の腕を触れさせて妻は言った。

「あなたはあんまり話さないから、ちょっと心配」

「いまも話してるだろう」

「そうじゃなく、仕事の愚痴とか、自分のこととか」

「特にないけど、聞かれれば話す」

鷹揚《おうよう》にうながすと、妻は力を抜いて体重をかけてきた。暑い。服越しに伝わる体温が、死にかけの小動物が発する熱じみていていやだ。水滴をたくさんつけたグラスを眺めて耐える。

「じゃあ、教えて。どこで生まれて、どんな子どもだった?」

「生まれたのは、景色がきれいなところだよ。緑がいっぱいあって、海もすぐ近くだ。近所の友だちと毎日、山を走りまわったり海で泳いだりして遊んだ。欲張って木イチゴをいっぱい食って、みんなで腹下したこともあったな。楽しかった」

嘘《うそ》だ。嘘ばかりだ。そんなにうつくしい場所じゃなかった。木イチゴなんて食べなかった。山にあるのは鬱蒼《うっそう》とした森に落ちる赤い花だけだった。いや、もしかしたら木イチゴを摘んで食べたかもしれない。鮮やかな色をした小さな魚の群れを飽かず眺め、泳ぎ疲れて砂浜に寝ころんだかもしれない。美花と、輔と、信雅《のぶまさ》と、妹と。

でも忘れてしまった。覚えているのは、つぶれて泥に埋もれた家だ。カーキ色の袋に入って並べられた死体と、夜の神社の境内《けいだい》だ。

月が出ていた。凪《な》いだ海に、水平線までつづく白い月光の道ができていた。

その道を歩いていきたかった。歩いて歩いて、消え去ってしまいたかった。

「両親と妹が事故で死んで、中学のときに東京へ出てきたんだ。でもそうじゃなかったら、いまも故郷で暮らしてたかもしれない」

信之の背中を、妻がそっと撫でている。

「不思議ね。結婚してもう何年も一緒に暮らしてるのに、どうしてこれまであなたに聞こうとしなかったんだろう」

ああ、不思議だ。信之は内心で答える。きみが俺を理解しようとすることが。この程度の昔話で、理解できたような気になっていることが。

もちろん、妻は信之を愛しているから、話を聞きたいと願うのだろう。信之も妻を愛したいと思うから、これからは求められたらそのつど、もっと過去を話そうと決めた。

それで家庭内がうまくいくなら、なにも問題はない。

うつくしい物語を捏造《ねつぞう》するのは簡単だ。

妻の体温をあいかわらず感じつづけながら、さて今夜はこれからどうすればいいのだろうと考えた。同時に、美花から頼まれた仕事についても、頭のなかでせわしなく段取りをつけた。

輔と洋一のことは、しばらく経過観察でいいだろう。金があるうちは、美花に被害は及ばないはずだ。だが最終的には、金の有無にかかわらず、美花がずっと安心して生きられるように取りはからう必要がある。

そのための下準備を進め、道具も買いそろえなければ。時間もいる。有休はたくさん残っているが、許可が下りるかどうか。

輔が妻に手を出してくれていたのが幸いだ。万が一、信之のしたことが発覚したとしても、痴情のもつれで済む。美花とのつながりは、だれにも気づかれない。

亀裂に似て妻の唇が開く。信之は礼儀正しく、妻の口内の粘膜を舌で探った。夏の海水と同じぬるさだった。

変質者に襲われた娘を、妻が気づかったのは最初の数日だけだ。すぐにいままでどおり、幼児教室へ連れていくようになった。事件に触れないようにしているというよりは、娘とどう接すればいいのかわからず、ただ、なかったことにして済ませようとしているだけらしかった。

娘は事件以降、頻繁に夜泣きする。うなされ、突然布団に身を起こして激しく泣く。

目は覚めているのに、「どうしたの」と妻が聞いてもなにも言わない。泣きつづけ、たまに苛立ったように枕もとにあるぬいぐるみや絵本を投げる。

カウンセリングに行ったほうがいいのではないかと言ったが、妻はうなずかない。

「ふつうにしていようって、あなたが言ったんじゃない」

と怒る。「傷をほじくりかえして、どうなるの。それに、カウンセリングに通ってるところを、もしだれかに見られたら？　おねしょが治らないとか、癇癪《かんしやく》持ちだとか、そういうのとはわけがちがうのよ」

そうなのかと、あまり納得はできないが引き下がる。毎晩うなされるわけではないし、昼間は元気そうにしているらしいし、大丈夫なのかもしれないとも思う。

妻は、自分の娘なのに通じあえず、自分がしたことのない体験をした、いや、させられた娘を、どう扱っていいのか戸惑い気味だ。娘が夜に泣きだしても、近ごろでは起きあがりもせず、背中を軽く叩いてやるだけになった。

味わった恐怖や苦痛を泣くことで訴えている娘は、母親のおざなりな慰撫など受け入れない。ますます泣く。

眠れないし、幼児虐待だと近所に思われそうなので、そういうときは信之が娘の相手を買ってでることにした。ただでさえ疲れているところへ、夜中の子守りは精神的にも肉体的にも負担だがしかたない。

妻の戸惑いもわかるが、信之だって変質者に襲われた経験はない。セックスという行為があること自体を知らず、感情をうまく言葉にできない幼い娘の子守りを任されても、どうしろっていうんだと途方に暮れたくなる。

ただ、妻にはない共通点が、信之と娘にはあった。

理不尽で大きな暴力から生きのびて、いまここにいるということだ。

泣いている娘を抱きあげ、夜の団地を足早に抜けだす。泣き声は階段を下りたあたりで小さくなる。

「ほら、椿。星が出ている」

最初は手足を縮ませていた娘も、自分を抱えているのは父親だとやっと納得し、力を抜いて体を預けてくる。

どっちへ行こうか、と聞くと、娘はたいがい「川」と答える。たまに、「ようちえん」と言うときもある。そのときは、娘の通う幼稚園まで行き、だれもいない園庭や、教室の黒くなった窓ガラスや、常夜灯に照らされる原色の遊具やらを柵越しに眺める。

今夜の娘は川へ行くことを望んだ。

信之は団地の敷地を横切り、段差のちがう階段を注意して上った。娘は信之の腕に横向きに腰かけ、上体をひねって両腕を信之の首にまわす姿勢で、ゆらゆら揺れている。娘が眠ってしまって落っこちないように、娘を安心させるように、信之は娘の背中にしっかりと片手を当てている。

堤防のてっぺんに立つ。背後からは行き交う車のエンジン音がひっきりなしに聞こえるが、多摩川は静かに夜を流れている。晴れないスモッグに工場や家の明かりが映って、川の上空は白くけぶっている。対岸ではマンションの屋上と工場の煙突についた小さなライトが明滅している。土手にも河原にも、生き物の姿はない。信之と娘だけが、春の宵に立っている。

「どんな夢にうなされてる？」

信之が聞いても、

「わかんない」

と娘はむずかって首を振る。

「そうか。なにが出てきたかも覚えてない？」

「動物」

「なんの動物」

「犬。おっきいの。黒くてね。あっ、オオカミかも。すごくおっきいの」

娘がめいっぱい腕を広げてみせたので、

「へえ」

と信之は驚きの声を上げてやった。「そんなに大きいのか。こわいね」

「うん。大きくてね、追いかけてくる。食べられちゃう。どうしよう、こわい、こわい。助けて、食べられちゃう。パパ、助けて」

話すうちに娘の声は震えだし、甲高い泣き声になり、かすれた悲鳴になった。抱きついてきた娘を、信之は慌てて抱きしめ、なだめるように撫でた。

「パパもその獣を見たことがある」

「ほんと？」

娘はしゃくりあげた。「いつ？」

「ずっとまえに」

「どうなった？　逃げた？」

いいや。だれもそれからは逃れられない。大きくて凶暴な獣に飲みこまれ、吐きだされて、それで終わりだ。二度ともとには戻れない。

でも、そうは言わず、

「今度、夢にオオカミが出てきたら、パパが椿を抱っこして逃げてあげる。パパの足はうんと速い」

と答えた。

「うそ！」

娘は怒って、信之の頬や肩を叩いた。「パパだってだめだよ。オオカミはすごくすごく速いんだから」

娘の声や、信之を打つ手からは、怯えと混乱がにじみでている。現実で娘がこわかったときに助けてやれなかったから、怒っているのかもしれない。

「嘘じゃないよ。ほら」

信之は娘を抱いたまま、堤防を走りだした。娘はまだ怒り、怯えて泣いてもいたが、スピードと振動にしまいには笑った。「きゃー」と歓声を上げ、信之の首にしがみつく。

「椿、苦しい苦しい」

信之も笑った。娘が飽きて眠るまで、何度も堤防を走って往復した。

娘にも妻にも気分転換が必要だろうと、ゴールデンウィークに車を借りて、前橋にある妻の実家へ行くことにした。

行楽ラッシュによる渋滞も、都心部を抜けるとそれほど気にならない。妻と娘は後部座席で、お菓子を食べたり歌を歌ったりする。おむすびがどうしたこうしたという歌だ。美浜島には幼稚園や保育園がなかったので、信之は幼児が習う「お遊戯」に疎い。妙な手振りがついてるんだなと思った。

関越自動車道を走っていると、いつも落ち着かない気分になる。どれだけ進んでも海が見えない。

海のない県に生まれた妻の名が南海子《なみこ》なのは、父親が南海ホークスのファンだったからだと聞いた。妻は死んだ父親を嫌っているようだし、父親につけられた名前も好きではないようだ。

信之は妻の名前を好んでいた。はじめて会ったときも、その名の響きに惹《ひ》かれて妻の顔に視線をやったほどだ。どんな漢字なのか知って、いっそういいと思った。だが、名前が好きだと言ったことはない。妻が父親を嫌っていること、それを信之には知られたくないと思っていることに、信之はすぐに気づいた。だからなにも触れずにいる。

娘は疲れてきたのか、肌に食いこむチャイルドシートのベルトをしきりに気にしだした。信之はバックミラーから視線をそらした。子どもの柔らかな肌に這う黒いベルトが、なんだかおぞましかった。

前橋駅前は、県庁所在地とは思えないほどさびれている。役所のビルが無機質に生えるほかは、シャッターの下りた店が多い。

妻の実家は商店街の裏手にあり、母親が一人で住んでいる。妻の父親が死んですぐ、母親は小さな飲み屋をはじめたらしい。酒乱の夫に対する皮肉のつもりだったのか。二年前に閉めた店の名残《なごり》は、間口の狭い土間に残されたカウンターと曇った鏡一枚だけだ。

「大きくなったねえ、椿ちゃん」

たしか六十そこそこのはずの妻の母親は、それでも祖母の顔をして、おおげさな喜びとともに孫を迎えた。娘は恥ずかしそうに、信之のズボンをつかんだ。妻は蒸し暑い家に上がりこみ、「もっと窓を開けなさいよ」とか「ちゃんと食べてる?」などと、居間や台所を点検してまわる。妻の母親は、「うるさい子だね」と満更でもなさそうにつぶやき、「さあ、どうぞ」と信之をうながした。

部屋には醬油《しょうゆ》のにおいが染みこんでいる。

ここで生まれ育ったのに、なぜ妻は真っ白な新居に夢など見るのだろう。どこであろうと、住んでいればいずれはこうなるとわかっているはずなのに。

夕飯は、鮪《まぐろ》の刺身と煮物だった。妻の母親が近所の魚屋で買ってきた鮪は、鮮度が落ちていてまずかった。しかし妻も妻の母親も、うまそうに鮪を食べる。信之は赤い汁をさりげなくよけ、わさびを多めにつけてなんとか飲み下した。娘には、目玉焼きの載ったハンバーグが特別に用意されていた。

うれしそうな娘の顔を見るうち、最後に食べた母親の手料理を思い出せそうな気がしてきた。ビールのコップを傾けるふりで記憶をたどるが、食卓の情景はなにも浮かばなかった。この家と同じく、居間に醬油のにおいが染みこんでいたような気はする。それから潮のにおい。波の音。

食事を終えてから、近所の寺に蛍を見にいった。境内を流れる小川に、わざわざ放っているのだそうだ。

「昔はそんなことしなくても、田んぼにたくさんいたんだけどね」

と妻の母親は言った。

輪郭の定かでない黄緑色の光が、二つ三つ水辺に漂っている。娘は「すごい、すごい」と喜んだ。娘に手を引っ張られ、妻は小川に近づいていく。蛍見物に来た近所の人々のざわめきが、暗い境内に満ちている。

「明日はお墓参りにいきましょうか」

と、信之はかたわらに立つ妻の母親に言った。

「気を使わないで。どうせ南海子も、父親の墓参りなんてしたくないでしょ」

少しの沈黙を置いて、妻の母親は言った。「信之さんは、お墓参りしてるの」

「いえ。そういえば、ずっとしてませんね」

両親と妹の墓は昭島の公営墓地にある。海の見えない場所に。そこに家族がいるとは、信之にはどうしても思えなかった。妹にいたっては、骨も納められていない。三人の魂は、もし魂などというものが本当にあるのなら、未だ美浜島の海底をさまよっているのだろう。

そこで信之を待っている。いや、もう忘れたかもしれない。手招きと見えるのは、波に揺れる海藻と同じようなものかもしれない。

「じゃあお盆に行きなさいよ」

と妻の母親は言った。「年に何回かはお参りして、お墓の掃除もちゃんとしなくちゃ。ね？」

「はい」

くだらない。だが、このくだらなさが、人並みな生活であり親戚づきあいなのだろう。蛍をつかもうとして、娘が妻に押しとどめられている。

「椿ちゃんはかわいいねえ」

謙遜すべきか迷ったのち、信之はまた「はい」と答えた。

「南海子とうまくいってる？」

はじめて、妻の母親の横顔に視線を向けた。

「いっていないように見えますか」

「さあ」

と妻の母親は軽く首を振った。「うまくいってる夫婦がどんなものだか、私は知らないから」

「いってますよ」

水辺にいる妻と娘のシルエットに視線を戻す。「たぶん」

愛も誠実も信頼も計りようがない。

信之はとうに心を決めていた。だがその決心が、妻や娘に理解されることはないだろう。

二度と殺したくなかった。突然の暴力や死と無縁のところで、穏やかに暮らしたかった。それが本心だ。でも、追ってくる。

娘は見知らぬ男に理不尽に傷つけられた。二十年の歳月をものともせず、美花には黒い影が迫っている。

もう、気づいていないふりはできない。この世界の残酷な法則に。

罪の有無や言動の善悪に関係なく、暴力は必ず降りかかる。それに対抗する手段は、暴力しかない。道徳、法律、宗教、そんなものに救われるのを待つのはただの馬鹿だ。本当の意味でねじふせられ、痛めつけられた経験がないか、よっぽど鈍感か、勇気がないか、常識に飼い馴らされ諦めたか、どれかだ。

暴力に暴力で返したことがある信之には、よくわかる。暴力で傷つけられたものは、暴力によってしか恢復《かいふく》しない。周囲の愛と励ましと支えによって立ち直る？　そんなのは無理だ。信之は妻子を愛そうと努める。この努力こそが、持続する愛の正体だ。信之は妻子をほとんど愛している。それでも未だにうなされる。平和だったころの島の風景が夢に現れては、信之を苦しめる。

この世のどこにも安息の地はない。暴力によって損なわれるとは、そういうことだ。あの島で起こったことを、裁けるものならだれかに裁いてほしかった。黙っていれば嵐が過ぎ、家族が生き返り、美花が無傷で微笑むのなら、いくらでもそうした。

美花を暴力から救ったのは、信之の暴力だ。信之の振るった暴力が、そのあとの信之を救いつづけ、行く道を示しつづける。

俺はまちがってはいない。まちがわず、自分自身と大切なひととを生きのびさせた。これからも生きる。暴力を振るったことなど一度もない顔をして。妻子を愛し、堅実に働き、いつか呼吸の止まる日まで、秘密のすべてを胸に抱いて。

殺して生きる。だれもがやっていることだ。殺す相手が牛や豚や鶏や虫ではなくひとだからといって、ちがいがあると考えるほうがおかしい。

罪を生じさせるのは常に人間の意識だ。罪の有無を忖度《そんたく》することなく、津波という暴力もまた、突然降りかかり、すべてを砕いていった。

信之は知っている。罪などどこにもない。あるのは理不尽と暴力だけだ。

娘と手をつないで寺を出た。幼い手は熱く湿っていて、光る虫を見た興奮はつたない言葉となっていつまでも口から迸《ほとばし》った。

「五個いたよ」

五匹でしょ、とうしろを歩く妻が言ったが、信之はかまわず、「ああ」と娘に相槌《あいづち》を打った。

「つかまえたかったけど、逃げた。ひゅーって」

「蛍はつかまえても、すぐに死ぬんだ」

「どうして？」

「弱い虫だから。水から離れると、苦しいんだろう」

「じゃあ、つかまえたらかわいそうだね」

「そうだね」

娘は蛍の歌を歌った。甘い水に引き寄せられる人魂《ひとだま》の歌。美浜島の夜の神社が見えるようだ。梢《こずえ》から降る甘苦い潮に打たれ、死をまえに立ちすくむしかなかった三人の子どもの姿が。

その晩は、妻が高校までを過ごした部屋で寝た。

妻が使っていたベッドはそのまま残されている。ふだんは布団で寝ている娘は、めずらしがってベッドで寝たがった。妻と娘が一緒に眠り、信之はベッドの脇に敷かれた客用布団で目を閉じていた。

娘を置いて、妻が夜半過ぎに床に降り立った。信之の隣に横たわる。信之は薄手の掛け布団を広げ、妻の体を覆ってやった。

信之の肩に顎をのせるようにして、妻はひそめた声で話しかけてきた。

「そろそろ夏期講習の申しこみをしなきゃならないんだけど」

信之の腹筋が震えたのを、妻は敏感に察したようだ。

「なんで笑うの？」

と、上体を軽く起こして顔を覗きこんでくる。

「夏期講習って、まだ幼稚園児なのにと思ってさ」

「しょうがないじゃない。夏期講習なんだから」

そう言う妻も、笑いをこらえているらしい。信之は掌でそっと、街灯にほのかに照らされた妻の頬を撫でた。

「きみは子どものころ、夏期講習に行った？」

「行かないわよ。うちは貧乏だったもん」

見ればわかるでしょ、と言いたげに、妻は室内に首をめぐらせてみせた。壁紙が剝《は》げ、ドアの合板は湿気で浮いている。

あなたは？　と聞こうとして、妻がやめたのがわかった。だから信之は自分から、

「俺もだ」

と言った。「そんな余裕はなかった」

「だから椿には、ちゃんとしてあげたい」

妻はまた身を横たえた。信之の胸もとを、ピアノを弾くみたいに指先で叩く。

「いい小学校に入れて、大学までいいお友だちとずっと一緒に過ごせるようにしてあげたい」

「それで、椿は幸せになれるのか？」

信之は顔を傾け、妻に囁《ささや》いた。

「もちろん」

妻の目には確信の光があった。

娘の意思を無視して、どんなに将来をお膳立てしたところでむなしい。思いがけず一瞬で死ぬこともあるのだと、信之はよく知っている。幸せに対して確信を抱ける妻が、不思議で不気味な存在に感じられた。津波と同じぐらい圧倒的な力を宿している。

「じゃあ、そうすればいいよ」

と答えた。妻は不服そうだった。

「他人事《ひとごと》なんだから」

「そんなことはない」

妻の背に腕をまわし、信之は天井を眺めた。「頼もしいなと思ったんだ」

「なによ、急に」

妻は再び身を起こした。「なんかの嫌味？」

いや、半分ぐらい本気で感心してる。信之は眠ったふりをして、内心で答えた。

数日の滞在を終えるころには、娘は妻の母にすっかり打ち解け、「帰りたくない」と泣いて大人を困らせた。「夏休みにまた来てね」と妻の母になだめられ、妻の持つお菓子に釣られるようにして、娘はやっと車に乗った。

車の窓を挟んで手を振りあう妻と妻の母は、こうして見ると背格好がよく似ている。家族。海に沈んだ家族とはべつに、新しい家族を俺は作った。美花と作るものだとばかり思っていた少年の日から、時間も場所も遠く離れて血の流れはつづく。

角を曲がり、あとはひたすら車を走らせた。


洋一が飲みにでかけるのを待って、信之は傘を畳みながら道を渡った。蓮華荘の外階段を上がり、濡れた傘を廊下の手すりにかける。雨の季節はもうしばらくつづきそうだ。

輔の部屋はいつも鍵がかけられていない。勝手に上がり、押入や流しの周辺をざっと調べた。輔の留守を狙って何度か探したが、証拠の写真は洋一が持ち歩いているのか、見つからなかった。

まあいい。まだ金はあるはずだ。

部屋に布団は一組しかない。洋一が使っているらしく、饐《す》えたにおいを発していた。信之はスーツの上着を脱ぎ、畳に横たわって目を閉じた。一日の疲労が眼球の奥でうずいている。

外階段を上る足音が近づき、ドアが開く。畳を踏んで、信之を覗きこむ気配がする。信之は動かなかった。気配が少し離れ、脱ぎ捨ててあった上着を拾い、ハンガーにかけるかすかな物音がする。

目を開けた。蒸し暑い部屋の天井に、黒い染みが浮かびあがっていた。妻もこの染みを眺めただろうか。それとも、染みに気をまわす暇や余裕などなかっただろうか。

「夜勤じゃなかったんだな」

信之が声をかけると、輔の顔が視界に現れた。

「起きてたのか」

下から見る輔の笑顔は歪《ゆが》んで無様だ。

輔は部屋を横切り、冷蔵庫から茶を出して飲んだ。信之は身を起こして畳に座り、輔の動きを目で追った。作業着を脱いで上半身裸の輔の肌には、あちこちに痣《あざ》や傷があった。脇腹にも背中にも、声としては発せられなかった悲鳴がそのまま、新旧の痕《あと》となって残っていた。

輔の無言の叫びに、痛みの在処《ありか》に、輔を抱いた女たちだけは気づいたのかもしれない。狭くてものの少ない部屋で父親に怯えて暮らす輔を、信之は再会してはじめて純粋に哀れだと感じた。遠い昔に信之の部屋で泣いていた、小さな輔に対して覚えた感情だ。

「なんか用?」

茶のペットボトルから唇を離し、台所の流しにもたれた輔が聞いた。

「金はたりてるのか」

「うん。煙草くれない」

信之は立って、輔が壁にかけた上着を羽織るついでに、ポケットからセブンスターを出した。自分のぶんを吸いつけてから、ライターごとパッケージを投げる。

部屋は蒸し暑い。輔の指のあいだで、細い煙を立ちのぼらせて煙草が揺れる。

「写真が見つからないんだ」

「聞きだせ」

「無理だよ。親父には話なんか通じない。飲んで酔ってわめいてゲロ吐いてるだけなんだから」

おまえの父親がしてることは、ほかにもうひとつあるだろう。輔の体に刻まれた痣や生傷を見て、信之は口もとだけで笑った。

「殺してくれるって言ったのに」

輔は低くうめいた。「親父を殺《や》ってくれるって！」

「写真を見つけたら、と言ったはずだ」

おまえのために、なんでひとを殺さなきゃならない。「そんなにつらいなら、俺に頼るばかりじゃなく、自分で殺してみたらどうだ」

輔はちょっと呆然《ぼうぜん》としたような顔を見せた。裏切られた、とでも言いたそうな顔だ。

俺がおまえを裏切ったことがあるか？　一度もない。俺は一度だって、おまえを大事に思ったことなどないのだから！　おまえが勝手に期待して、おこぼれだと思ったものに勝手にかじりついただけだ。本当はむなしく空気を咀嚼《そしゃく》しているのだと気づきもせずに。

「疲れてるみたいだな、輔」

優しく言って背中を向ける。「また来るよ」

そろそろ輔は限界だろう。

殺すのなんて、やってみればたいしたことじゃない。なにも殺さず生を全《まっと》うする動物なんかいない。たくさんの人間が、一瞬のうちに屍《しかばね》となって転がったのをおまえも見ただろう。所詮《しょせん》はその程度のもの。怯えることはない。すぐ慣れる。

だが、できないというなら、しかたがない。追いつめすぎて突拍子もないことをしでかすまえに、こちらが動かなければならない。まったく世話が焼ける。

蓮華荘は三室にしか入居者がいないと、観察したのでわかっている。輔の部屋とは反対側の端にあたる二〇一号室。その斜め下の一〇二号室。そして、輔の住む二〇四号室だ。

信之は輔の部屋の真下、一〇四号室に忍びこむことにした。本格的な作業にかかるのは、道具を運ぶ必要もあるので梅雨《つゆ》が明けてからがいいが、少しずつ準備はしておこう。

錠の開けかたは役所の昼休みに、川崎の駅ビルに入っている大型書店で調べた。ピッキングの本を数冊立ち読みすれば、要領はわかる。

蓮華荘に赴いて錠前の種類をたしかめ、同じタイプのものをやはり駅前の東急ハンズで買った。曲げた針金を手に、役所のトイレで何回か練習を積んだ。昼休みに個室に籠《こ》もってこんなことをしている自分は馬鹿だ。おかしくてならなかったが、便器に腰かけ、手にした錠前を開けつづけた。

中学が休みで通行人も少ない週末の昼下がりに、いよいよ実践に移す。旧式もいいところの単純な錠は、鍵を必要とせず素直に開いた。

閉めきられたままだった部屋は、畳に埃が積もっていた。電気もガスも水道も止められている。持参したウェットティッシュをすべて使い、畳をざっと拭いた。アパートの住人は、ほかにいるのだかいないのだかわからないほど気配がなかった。信之は畳に寝転がった。

妻が欲しがっているようなマンションとは、まるでかけ離れた空間だ。薄暗く、黴くさい。表では雨が降りつづいている。棲《す》み分け。断絶。しかし信之は、なぜだか安堵《あんど》を覚えた。

ここは輔にとても近い。信之が生まれでたところにとても近い。

天井がかすかに軋《きし》む。信之は埃っぽい畳に寝そべり、階上の物音をじっと聞いている。目を閉じていても、輔が父親に怯え、落ち着かずに過ごすさまがわかる。信之の唇からは、気づくと低い笑い声が漏れている。

　暗い場所で眠れ。

　アパートへ行く口実を作るのは少し苦労した。しばらくのあいだ、仕事が忙しくなりそうだ。妻にはそう言って、休日出勤を装ったり、終電で帰ったりした。もちろん本当は、役所の仕事は定時で無理やり切りあげていた。外回りと称して、昼休みが終わっても延々と机を空けることもあった。朝晩だけでなく、日のあるうちの輔や洋一の様子を知りたかったからだ。

　シフト制の工場で働く輔は、昼間に部屋にいることも多いようだった。だが、洋一がいるときは滅多に帰ってこない。どこかに女がいるのかもしれなかった。

　輔は父親とたまに部屋で一緒にいても、ほとんど会話を交わさない。天井から聞こえてくるのは、洋一のわめき声が大半だ。それから、肉と骨を打つ鈍い音。父親を必死で制する輔の小さな声。

　真面目《まじめ》だった信之の勤務態度の変化に、同僚は最初は怪訝《けげん》な顔をした。次に、苛立ちを見せるようになった。信之は、「最近、ちょっと妻の具合が悪いので」と言った。おおかたのものは、それで納得したようだ。

　妻に対しても同僚に対しても、すぐにばれるような嘘だ。

　信之はこれまでも嘘をつきつづけてきた。海に近い田舎で育った。両親は事故で死んだ。そう言えば、たいていのひとはそれ以上聞いてはこない。小さく簡単な嘘で塗装した過去が、いまや信之の本当の来歴になった。

今回に限っては、嘘がばれてもかまわないと思っている。引き潮に飲まれ、家族からも職場からも遠ざかるとすればいいまだ。

沖へつづく強い流れを感じる。

美花はきっと、俺を待っているはずだ。


夏休みの時期になったら、まとまった休みを取りにくい。役所に五日間の有休を申請した信之は、まだ梅雨は明けきらなかったが、蓮華荘の一階で作業をはじめた。

妻には休みを取ったことを言わなかった。毎朝、スーツを着て鞄を持ち、出勤するふりでアパートへ行く。一〇四号室で、買っておいた作業着に着替える。作業着なら動きやすいし、だれかに見られたときに、室内工事かなにかで空室に出入りしているんだろうと思ってもらえそうだ。一日の作業を終えると、タオルで汗をぬぐってからスーツを着て帰宅する。大通りにある健康ランドに寄ろうかとも思ったが、シャンプーのにおいがするよりは、外回りで汗くさくなったと言ったほうが、妻も疑いを抱かないだろう。

信之はまず、二畳ぶんの畳を上げた。スコップは作業着と一緒にホームセンターで買ってある。床板を外し、日の当たらぬ土を露出させた。

穴自体は一畳ほどの大きさでこと足りるはずだ。残りの一畳は足場だ。畳を汚さぬようビニールシートを敷いた。革靴からスニーカーに履き替えて床下の地面に降り立ち、さっそく掘りはじめた。

土は湿って重かった。

掘り進むにつれ、雨が降りだすときに似たにおいが強くなる。黴のにおい、蠢《うごめ》く無数の微生物のにおい、堆積した時間のにおい。軍手をはめた手でスコップを地面に突きたてるたび、埋まっていた小石や瀬戸物の欠片《かけら》や焼けた木片に当たって、耳障りな音がする。

暑さと音と土の硬さが作業を阻む。

考えていたよりも難航しそうだ。こんな音を立てていては目立つ。住人が寝静まった夜に出直したほうがいいだろうか。

信之は少し考え、やはり昼間のほうがいいと結論づけた。輔は工場へ行った。真上の部屋ではいま、酔った洋一が寝ているだけだ。ほかの住人も昼はアパートにいないことが多いし、表では中学生の声や車の音がしている。かえって気づかれにくいはずだ。

真新しい作業着は、スコップを手にして三十分も経つころには土と汗で汚れた。スコップの縁にスニーカーを履いた足を載せ、ゆっくりと力をこめて土をえぐる。えぐった土は、畳に敷いたビニールシートに積みあげる。足の裏には、靴底越しにスコップの縁を写して線が刻まれ、掘った土を跳ねあげる腕は、棍棒《こんぼう》でもぶらさげているかのようにだるくなった。壁に吊したスーツとワイシャツが場違いで滑稽に見えた。

しばらくは遠慮がちにスコップを振るっていたのだが、物音に気づいて様子をうかがいにくるものも苦情を申し立てるものもいない。崩れそうなアパートを住居として支えているのは、柱ではなく無関心と無気力らしい。

昼を選んだのは正解だったようだが、暑さには困った。

ドアを開けて作業するわけにもいかない。風の通らない部屋で、汗ばかりが流れた。水分補給をしているのに、すぐに眩暈《めまい》がする。塩分がたりないのだと気づくまでに、しばらくかかった。コンビニで買った食卓塩を舐《な》め、二リットルのスポーツドリンクや茶を何本もからにしてしのいだ。公園の水を空いたペットボトルに汲《く》んできて、地面を湿らすために使った。

湿らせたほうが掘りやすいと発見したきっかけは、無精して穴に入ったまま茶を飲んだことだった。土を持ちあげつづけていたせいで腕が痺《しび》れ、ペットボトルの重さを支えきれなかった。茶は信之の胸もとを濡らし、大半は穴の底に染みこんだ。

貴重な水分なのにと舌打ちし、黒く変色した土を靴底でこすった。感触の軟らかさに、思わず「あ」と声を上げた。暑さと単調な作業のせいで、工夫も忘れるほど朦朧《もうろう》としていたらしい。

あまり水をかけると、土はかえって締まってしまう。何度か試して、うまく軟らかくなる水の量を見つけた。穴はちょうど、腿《もも》ぐらいの深さに達していた。足場がわりの一畳の露出面からは、穴底にスコップが届かなくなった。

穴に下りると、視界が変わって新鮮だ。寝るでも立つでも座るでもない、中途半端に低い位置から室内を見まわす。アパートの部屋が、なんだか広くなったように感じられた。

深さが腹までになると、掘った土を穴底から直接ビニールシートに上げるのが大変になってきた。腰を痛めそうだったので、足場部分の地面に積んだ。穴から這いあがれなくなるまえに、足場部分に積んだ土は、こまめにビニールシートに移さなければならない。穴から出たり下りたり、腕ばかりでなく足腰にも、ますます負担がかかった。

ふだんはデスクワークが多いからな。指の爪が黒く汚れている。べつの指先でこじると、乾いた血みたいな土が膝に落ちた。暑く粘ついた空気。閉めきって薄暗い部屋。土のにおい。汗のにおい。

二日の予定だったところを丸三日かけて、ようやく納得のいく深さと大きさの穴が完成した。土が硬かったとはいえ、どうも肉体労働には向かないらしい。信之は筋肉痛にうなりながら思った。

週末をまたいだ有休四日目の朝も、いつもどおりに家を出た。東急ハンズが開くまで、川崎駅前のドトールでコーヒーを飲んで時間をつぶした。

仕事の合間に趣味の品を見にきた、という顔をしてエスカレーターに乗る。旅行用品の売り場へ向かう途中で、山登りの道具が目に入った。思い立って、サバイバルシートを買うことにした。これなら薄手で扱いやすいだろう。

海外旅行用の大きなスーツケースを引きずり、大通りに立つ。バスに乗るかタクシーに乗るかで迷った。舌打ちしたい気分だった。平日の昼間から、からのスーツケースを抱えてうろうろしているサラリーマンなどいない。「休みを取って、旅行に備えて必要なものをそろえにきた普段着の男」に扮したほうが、まだましだった。

落ち着け。信之は自分に言い聞かせた。出張帰りということにすればいいだけだ。スーツケースの取っ手に巻かれた、ハンズの包装紙をはがしてポケットに入れる。税関のシールが一枚も貼られておらず、明らかに新品だが、細かいことなどだれも見ていない。なるべくのんびりと、一仕事終えて家に向かうかのように。

臨港中学校前でバスを降りると、どっと疲れた。スーツケースが重いみたいに見えて、ちょうどいいじゃないか。気力を振り絞って歩く。アパートのまえの道は、いつもどおりひとけがなかった。キャスター音がしないようにスーツケースを浮かし、素早く一階の部屋に入る。

ビニールシートも粘着テープも買ってあるし、あとは石灰か。

作業着に着替え、バスに乗ってホームセンターへ行った。一度に買うと怪しまれるので、ひとつの店で一袋。アパートに戻って袋を置くと、またバスに乗って次の店へ。だんだん面倒になって、一気に二袋買うことにしたが、川崎近郊のホームセンター四軒をまわるのは一日仕事だった。

スーツケースや石灰六袋など、買いそろえたものはすべて押入にしまった。スコップはドアを入ってすぐ横の壁に立てかけた。

これでよし。あとは洋一を殺してこの穴に埋めるだけだ。もちろん輔に手伝わせる。それが終わったら、方法はまだ決めていないが、輔を。俺は運がいいほうだから、たぶんうまくいくだろう。

床下に生まれた深く真っ黒な空間を見下ろし、信之はふと考えた。

運がいいというのは、津波で生き残ったことを指すのだろうか。島での殺人が、いまのところ発覚していないことを指すのだろうか。

津波も死も、運不運ではない。それはただ、やってくる。海の彼方から。暗い夜の向こうから。海も夜も厳然として存在するだけであり、そこを通ってそれはある日、やってくる。選別は働かず、意志は無力だ。

月が地上に投げかける白い道。

運などというあやふやなものから、もっとも遠く平等だ。何人を殺しても、何人を幸せにしても、いずれだれもが等しく死ぬ。

団地の中年女が娘を評して、「運が悪かったねえ」と言いあっているのを聞いた。したり顔をして、囁き声で。「おはようございます」とかたわらを行き過ぎながら、さして腹も立たなかった。傷つけても、傷つけられても、どうせ死ぬまでのこと。相手の男を探しだし、もう二度と娘に触れることはできないと確証を得るまで痛めつける機会を逸したのなら、運などという言葉は捨てて、そう思い定めるほかない。

同情や愛情では恢復しない傷があるかぎり、刑罰はひとを救わない。自分に癒えることのない傷を与えたものが、たとえば刑務所に三年入ったからといって、うれしくもなんともない。刑罰にはせいぜい、「これで我慢してくれ」と、癒えない傷を覆って誤魔化す絆創膏《ばんそうこう》程度の力しかない。腹が減って死に瀕した生き物に、食い物に似せた発泡スチロールの模型を与え、「腹を満たせ」と言うようなものだ。ありがたがって模型に食いつくやつは馬鹿だ。

究極的には、自分を空腹に追いやったものを探して殺して食って飢えを満たすか、空腹を受け入れて死を待つか、どちらかしかないはずだ。一時的に飢えを満たしたとしても、いつかはまた腹が減ることもあるだろう。だが、際限がないと絶望するほどのことでもない。死んだら解放される。

この無情な理《ことわり》に、本当はだれもが気づいている。気づかぬふりをして、まっとうに暮らしているだけだ。余裕があるから。明日死ぬことはないと信じ、愛情を信じ、罪を犯したものには罰が下されると信じ、死にも不幸にも意味があると信じる。信じるふりをして生きる。

やつらを見るたび、反吐《へど》が出そうになる。

あらゆるものに意味を見いだし、しかし肝心な部分で気楽に運に身を委ねる人々のことが、信之には根本の部分で理解できなかった。そこに平穏と救いを見いだす精神がわからなかった。

意味などない。死も不幸もただの出来事だ。それらはただ、やってくる。

そうではないとしたら？

もし、死にも不幸にも意味があるのだとしたら。俺は救われない。島はなにものかの意志に選ばれたが、俺はそこから漏れた。そういうことになる。自分が作りだした黒々と湿った穴を、信之は眺めた。

いや、やはり意味なんてあるはずがない。島で死んだものも生きのびたものも、たいした人間じゃなかった。選別に値し、貴い至高の存在の意志にかなうような、悲劇的で崇高な住民なんか一人もいなかった。俺や輔が証明しているじゃないか。

信之はうっそりと笑った。

足音が外階段を上っていき、頭上でドアが開閉する音がする。輔が工場から帰ったようだ。

俺もそろそろ家へ帰ろう。スーツに手をのばした信之は、いつもとちがう気配を感じて動きを止めた。

天井が軋んでいる。輔はどうやら、部屋じゅうを歩きまわっているらしい。

なにをしてるんだ？　気になったので、着替えるのはやめて畳に腰を下ろした。信之の知るかぎりでは、今日は洋一は物音を立てていない。また寝ているのだろうとばかり思っていたが、歩きまわる輔を怒鳴らないところからすると、部屋にはいないのかもしれない。

ずいぶん長く天井を軋ませていた輔は、今度は押入を開けたり、なにかをひっくりかえしたりしはじめた。

変だ。輔の部屋でなにかが起こったのはまちがいない。

あたりはすっかり暗くなった。太陽を呼び戻そうと蟬《せみ》が鳴く。梅雨が明けたばかりの室内は耐えがたい暑さだったが、信之は動かずに階上の様子をうかがった。

少し静かになったと思った直後、輔は部屋から出て、外階段を下りてきた。足音が大通りへ向かって走っていく。

しばらくすると救急車のサイレンが近づき、蓮華荘のまえに停まった。ドアを開けて外を見たい気持ちを、信之は必死に抑えた。

妻と娘の待つ団地に帰ることも、今夜は忙しくて泊まりになりそうだと電話を入れることも忘れ、信之は一〇四号室の穴のそばで輔からの連絡を待った。妻が何度か携帯にかけてきたが、すべて無視した。

携帯電話が光だけで着信を告げたのは、そろそろ夜が明けるころだった。

輔の父親は死に、写真は見つかったのだという。

「これでずいぶん楽になる」

薄暗い部屋で、信之は笑った。俺は本当に運がいい。洋一が勝手に死んでくれたおかげで、殺す手間が半分になった。

スーツを着て帰り仕度を済ませ、外階段を上る。無人の輔の部屋には、酒のにおいと死臭が染みついていた。布団はわずかに、洋一のものらしい窪みを残している。

部屋のなかを軽く探したが、写真はどこにもなかった。輔が持って出たのならばいいが、見つかったということ自体が疑わしい気もする。まあ、追及はあとでじっくりすればいいだろう。

始発で向河原の団地へ帰った。玄関にチェーンはかけられていなかった。鍵のまわる音を聞きつけ、妻はすぐに寝室から出てきた。

「どうしたの」

妻は鋭く囁いた。当然、朝帰りに対する叱責だと思ったのだが、妻はどうやら、一晩じゅう抱えつづけた怒りと心配も忘れ、信之の顔色の悪さを純粋に案じているらしい。それならそれで好都合だ。山ほど準備していた言い訳からひとつを選び、信之は気だるいため息とともに言った。

「残業中に、急に具合が悪くなったんだ。同僚もみんな帰ったあとだし、しょうがなくソファに横になったら、いつのまにか朝で驚いたよ」

「忙しすぎるから。お医者さんで診てもらってきて」

「ただの寝不足と貧血だったみたいだから、大丈夫だ。電話できなくてごめん」

信之がシャワーを浴びているあいだに、妻は卵と刻みネギの入ったおじやを作ってくれた。ダイニングテーブルで、妻に見守られながらそれを腹に収め、信之は布団に横になった。娘はちょっとした騒動にも気づかず、罪のない顔をして眠っていた。

「今日は欠勤すると書き置きしてきたから」

信之は妻に言い、有休最後の一日を思うぞんぶん寝て過ごした。

休んだせいで書類が机で渦をなしていたが、信之はその日、定時で仕事を切りあげた。引き出しに入れておいた美花の三百万を鞄に入れ、輔を訪ねる。妻には名古屋で一泊の出張が入ったと偽っておいたから、計画を実行する時間は充分にある。

とうとう布団もなくなった部屋で、輔はずいぶんやつれて見えた。血色の悪い頬がそげ、黒目ばかりが冴え冴えと澄んでいる。

「眠っていないのか」

と聞くと、

「寝たよ」

と輔は答えた。

「お悔やみをまだ言ってなかったな」

「べつに。悔やみたいような父親じゃなかったし」

「そう言うかと思って」

信之は、鋼管通《こうかんどお》り沿いのスーパーのレジ袋を掲げてみせた。「つまみを買ってきた。祝いに酒盛りしよう」

「カニ缶がある」

と、袋を覗いた輔はうれしそうだった。

ピクニックのように畳に缶詰や惣菜《そうざい》を並べ、缶ビールで乾杯した。輔はビールには形だけ口をつけ、あとは茶を飲んでいた。父親の轍《てつ》を踏むまいと、飲まないようにしているのかと思っていたが、もしかしたら本当に飲めないのかもしれない。あの大酒飲みの男の息子が下戸《げこ》とは、なんだか皮肉だ。妻の母親の顔をふと連想した。

輔は冷蔵庫から出したマヨネーズでカニ缶の中身を和《あ》えた。マヨネーズは分離した成分が容器の内側にこびりついていたが、割り箸でカニをすくって口に入れた輔は、「うまい」と言った。

溶けた脳みそに蛆《うじ》がたかっているように見える。信之も勧められるまま、缶詰のカニを食べ、ビールを飲んだ。まるで仲のいい友人同士のようだ。

階下で深まる穴を輔は知らない。

「写真をもらおうか」

うながすと、輔が作業ズボンのポケットから二枚の写真を出した。受け取って眺める。

「ネガは」

「ない。ずっとまえに処分した。プリントも、その二枚だけ」

「本当か？」

「本当だよ。美花にも、カラーコピーして送ったぐらいなんだから」

はじめて見るふりで写真を確認しながら、目の端では輔の反応もうかがう。本当のことを言っているらしく思えるが、絶対ではない。まあいい。ほかに証拠を持っていたとしても、それを二度と使えないようにすればいいだけだ。信之は写真を鞄にしまった。

輔は緊張を解き、冷蔵庫から新たな缶ビールを取ってきて、信之のまえに置いた。

「親父に聞いたんだけどさ。灯台守のじいさん、もう死んじゃったけど、あのあとずっと島に残ってたんだって」

「残る？　あんな島に残って、なにをするんだ」

信之は驚いて尋ねた。

「そう思うよな」

と輔は笑った。「だから俺も考えてみた」

「なにを」

「島に一人だったら、なにをするか」

返事をしない信之にかまわず、輔はしゃべりつづける。「山に木を植えるんだ。ほら、津波でずいぶんえぐられちゃっただろ？　ほかにすることもないから、のんびり植えていく。山に植え終わったら、次は集落。好き勝手に植えても、どうせだれも住んでないし怒られない」

あんたは？　と問われ、想像してみる。俺だったら。

なにもしない。日がな海を見る。いつかまた水平線の彼方から大波が押し寄せてくるのを待つ。飲みこまれ、逆巻く波に揉まれながら、静かな海底で妹の骨が白く光るのを一瞬見る。そして終わる。

どんなにいいだろう。もし本当に、二度と来ないとわかっているものを信じて待てたなら。

「なあ、輔。俺がずっと考えてたのは、どうすればよかったのかってことだ」

「なんの話？」

「もちろん、ガキのころの話だよ。おまえと俺が、楽しく島で暮らしてたころの話だ」

信之が言うと、輔は用心深く座り直した。

「楽しく？」

「ああ。海に潜って魚を捕ったり、山で木イチゴを摘んで食べたりしただろう。信雅や、美花や、琴実《ことみ》と一緒に」

「そうだったかな」

輔は首をかしげ、すぐに信之の意を迎えるようにうなずいた。「うん、そうだった。楽しかった。あんたは灯台守のじいさんから、いつもコンドームを買ってたよ。俺もじいさんと一緒に島に残ればよかった。あそこで暮らせるんなら、そうすればよかった。どうしてみんな、出ていっちゃったんだろうな」

死んだからだよ。死んで、いなくなったんだ。信之が誘導するままに、過去を楽しく明るい思い出に塗り替えようとする輔の目の輝きが厭《いと》わしい。

「いま、島はどうなってるんだろう。行ってみたいよな、美浜島に」

飲んでいないのに、輔は酔っぱらったみたいにはしゃいでいる。部品がぼろぼろ剝落《はくらく》していく機械のようだ。

「きっときれいだと思うんだ。緑が一番濃い時期だ」

「そうだな」

と信之は穏やかに言った。瓦礫だらけだ。死の痕跡ばかりだ。狂ったおまえに似合いの場所だ。

「でも輔。おまえはずっとつらかったんだろう？　あの島にいたときも、島から出たあとも」

信之の言葉に、輔は撃たれたように押し黙った。警戒の色をにじませ、信之をうかがう。

「つらいって、なにが」

「父親に殴られるのが。つらくて泣いているのに、みんなに無視されることが」

「べつに」

輔は立ちあがった。「無視なんかされない。もう殴られることもないし」

「ああ、おまえはよくやった」

信之は輔を見上げる。「おまえはいつも、俺の言うことを聞いた。俺が灯台守のじいさんからコンドームを買ってることも、俺が美花と寝てることも、だれにも言わずにいてくれた。それなのに俺は、おまえが親父に殴られても見て見ぬふりをした。島にいるあいだも、そのあとも」

信之は畳に片手をつき、もう片方の手をのばして、輔の手首をつかんだ。信之に引かれるまま、輔はしゃがみこんだ。輔の肌の感触が、信之の指先に残った。他人の体温と湿気が皮膚のうえで混じりあう。信之はさりげなくズボンの膝で指先をぬぐった。

輔は正面から信之を見て、信之の言葉に耳を傾けている。遠吠えが本当に仲間のものかたしかめる、獣のように真剣に。

「悪かったな、輔。悪かったと思って、おまえの父親を埋める穴も掘ったんだ。でも、遅かった」

輔の目が濡れて光った。輔はうつむき、唇を嚙んだようだった。

「ゆき兄《にい》」

再会してはじめて、輔はなつかしい響きで信之を呼んだ。「あんたの言葉を信じられたら」

酒盛りは深夜までつづいた。

輔は信之の掘った穴を見たいと言ったが、「朝になったらな」とかわした。階下の部屋は夜は真っ暗だ。輔に反撃されたらよけられないし、実行を先延ばしにしたい気持ちもさすがにあった。

畳にごろ寝をした。

「明日、仕事どうすんの」

と輔が聞いてきたので、有休を取ったと答えた。今朝、家を出るときから、今日をかぎりにもう二度と役所へ行くことも家へ帰ることもないだろうと思い定めていた。

目を覚ますと、あたりはまだ暗かった。電気の消えた部屋の真ん中で、仰向けに寝そべったまま信之は耳を澄ませた。遠くを走る車の音が聞こえた。静かだ。

顔の脇に気配を感じ、眼球だけ動かす。枕もとにしゃがんだ輔が、信之を見ていた。この暗さで実際に見えているのかどうかはわからないが、信之が目を開けたのを察してはいるようだった。

「俺が気づいてないとでも思ってるのか」

輔は平板な声音で言った。信之は緊張し、右手をそっと畳に這わせた。武器になるようなものはなにもなかった。

穴は黒々と口を開けている。

力を抜き、もう動かずに信之は横たわっていた。信之の首に輔の指がまわされる。濡れた布で顔を覆われる。心臓に包丁を突きたてられる。あらゆる殺されかたを想像し覚悟した。

だが、いつまでたっても輔は動かず、予期したことは起こらなかった。焦《じ》れた信之が腹に力を入れて身を起こそうとすると、輔は音もなく退き、流し台に背を預けて座ったようだった。

小さな窓から朝日が射し、信之は天井を眺めるのをやめた。首をめぐらすと、輔は流しに近い畳のうえで、体を丸めて眠っていた。

夜が見せた夢だったのかもしれない。


自分の部屋の真下に空いた穴を見て、輔は大笑いした。

「すげえ！　こんなのいつのまに掘ったんだよ、ちっとも気づかなかった」

四つん這いになって穴を覗き、「秘密基地を作ってるみたいじゃねえ?」と言う。

信之が壁にかかった作業着を着ると、輔は縁日の夜を楽しみにする子どものような顔になった。祭りが終わったあとのさびしさを、早くも不安がってもいる顔だ。

「秘密基地って、子どもじゃあるまいし。そんな調子でおまえ、女にあきれられてないか」

からかいを装い、探りを入れた。

「そんなのいない」

と輔は言った。「埋め戻しちゃうなんて、なんだかもったいないな」

「こんな穴、大家が見つけたら卒倒する」

信之はさりげなく玄関に近づき、立てかけてあったスコップを手にした。輔はこちらに背を向けて膝をつき、まだ穴を見下ろしている。

できることなら、殺したくなどないし殺されたくもない。平穏に暮らしたい。食った肉を合わせるといくつぶんの命になるのか、数えて生きるものがいないように。奪った命を忘れて、妻子を愛して死ぬまで過ごせると思っていた。そのための努力も怠らなかった。秘密を胸の奥に沈め、街の日常に埋もれた。

でもだめだ。一人殺したら、何十年経《た》とうとも記憶は腐臭を放つ。秘密自体をもっともっと深く沈めなければならない。もうだれも嗅ぎあてられないほどに。

ふと、輔を愛せればよかったと思った。父親に殴られて涙をこらえる小さな輔を、再び現れた父親におびえてすがってきた輔を、「大丈夫だ」と安心させてやれたらよかった。一緒に島で育ち、津波を生きのびたのだから。同じ恐怖と絶望をわけあったもの同士、そのあとの苦しみと喜びも語りあい支えあえれば、ちがう結末があったのかもしれない。

だが、無理な相談だ。信之は輔が嫌いだった。運だか運命だかによっていくら生が変転しようが、それだけは一貫して変わらなかった。

不幸というなら、これのこと。

求めたものに求められず、求めてもいないものに求められる。よくある、だけどときとして取り返しのつかない、不幸だ。

信之は穴の縁にいる輔に近づいた。持ち手ではなく、柄の部分に両手をつかみかえる。

棒の重み。

「なあ、埋め戻すなら、なんか道具が」

振り返りかけた輔の側頭部を目がけ、野球の素振りの要領でスコップを横薙《よこな》ぎに打ちつける。柔らかい感触がし、鈍い音が響く。輔の体が腰から畳に倒れていく。左半分の顔と頭部がどす黒い血で等しく染まっている。輔はへたりこんだまま声も出さず、信之を見上げた。目だけが澄んで光っている。唇が少し震えて開いた。なにか言おうとしたようでも、笑ったようでもあった。

信之はもう一歩踏みだし、スコップを斜めに振りあげた。輔は信之がすることを見ていた。純粋に信之のあとを追って遊んでいたころと同じ表情で。そこにはわずかに、驚きと喜びの色があるようだった。

こうなればいいと思ってた。俺がお願いしたとおりに津波が来て――。

スコップを思いきり顔面に叩きこむと、輔はのけぞり、背中からゆっくりと穴に落ちた。

呼吸が荒い。穴を掘っているときもここまで息が乱れはしなかった。たった二振りに渾身の力をこめた信之は、膝が震えて立つことができなくなっていた。

血のこびりついたスコップを支えに、這うように進んで穴を覗く。積まれた土が少し崩れた。

生臭い潮のにおいが吹きあげる。

穴の壁面に沿って脚を上げた恰好で、輔は動かずにいた。信之は押入を開けようとして、スコップを握ったままだと気づく。

畳にビニールシートを広げ、そのうえにサバイバルシートを敷く。そうだ、こういう凝《こご》った感じだった。夜の神社の境内で、山中の首を絞めたときの感覚が手に甦る。鮮烈な血しぶきや叫び声とは遠い。もっと鈍く重くぬるい、人肌そのものの感触。

狭い穴に下りる。スペースがないから、輔の胴をまたぐように立つしかない。そのまま腰をかがめ、あたたかい両腋《りょうわき》に腕を差し入れて抱え起こす。

つぶれて血だらけの顔をした輔は、静かに目を閉じている。向かいあう形で自分の体に輔を寄りかからせ、なんとか穴から引きずりあげた。体温と体液が布を透過して信之の皮膚に触れてくる。

体力も時間もずいぶん使った気がする。気がするだけで、はっきりした時間はわからないし、時計を確認する余裕もない。

サバイバルシートに輔を横向きに寝かせ、膝を折り畳む。膝を抱える形に腕も動かす。なるべく小さくするために、胸もとにうずめるように顎の角度を調整した。四肢を縮めた輔は、羊水に浮かぶ胎児そのものの恰好だ。輔が眠るときの、いつもの姿勢に近いとも言えた。信之は満足した。

石灰を輔の体にまぶす。どれぐらい必要なんだろうと思ううちに、四キロの袋をひとつ使いきった。

サバイバルシートを三枚使って、石灰で白くなった輔をくるんだ。シートの合わせ目を粘着テープで厳重にふさぐ。

スーツケースを開けて内部にビニールシートを敷き、サバイバルシートにくるんだ輔の体を収納する。スーツケースの容量ぎりぎりまで、隙間に石灰を詰める。これでにおいが漏れにくくなるはずだ。最後にビニールシートを閉じあわせ、また粘着テープでふさいだ。蓋を閉め、目張りする。

穴の底に新たなビニールシートを敷き、石灰を撒いた。スーツケースは持ちあげるのが難しいほど重くなっていたが、なんとか立ててしまえば移動は楽なものだった。キャスターで転がしていき、穴の縁からスーツケースを落とす。石灰が舞った。収まるのを待ち、信之も再び穴に下りる。

穴の底に横たえたスーツケースを、ビニールシートで風呂敷のように包んでいく。スーツケースの上部にも石灰を振りかけることを忘れなかった。粘着テープで密閉する。念を入れて、残ったビニールシートとサバイバルシートをすべて使い、何重にも包むことにした。シートを巻きつけては粘着テープで留める行為を、スーツケースを縦にしたり横にしたり、穴のなかでひとしきりつづけた。

何時間が経ったのか、信之は穴から出て畳に寝転がった。しばらく休まなければ、動けそうになかった。汗をかきすぎたせいか、体が冷たい。だが、穴を埋め戻さなければならない。

輔はちゃんと死んでいただろうか。まだぬくもりがあった。生きたまま石灰まみれでスーツケースに押しこめられ、これから床下に埋められるのだとしたら。

不安になって体を起こしかけたが、こらえた。そんなはずはない。大丈夫だ。息を吐き、寝そべったまま天井を見上げる。大丈夫だ。輔は死んだ。

視界の端に、土の山が黒いシルエットとなって映っている。凝固した波のつらなりのように、それは信之のかたわらにそびえている。

襲いくる津波を、こんなふうに凍らせることができたなら。

妙な音が聞こえると思ったら、自分の喉からあふれる嗚咽《おえつ》だった。でも涙は流れない。獣の鳴き声のように、快楽のうめきのように、とめどなく音があふれるばかりだ。

眠っていたらしい。夢を見ていた。島の夢だ。港へのゆるいカーブを駆け下りる。潮騒《しおさい》が聞こえる。やがて波の音は消え、残ったのは携帯電話の震える音だ。古いアパート。部屋の真ん中に空いた穴。血の染みこんだ土のにおい。

信之は立ち、足をもつれさせながら、壁にかけたスーツのポケットを探った。着信を告げる携帯の青白い光が、室内をかすかに照らす。

自宅の番号だ。市役所を無断欠勤したことを知り、訝《いぶか》しがった妻がかけてきたのかもしれない。信之は電源を落とし、薄闇のなかでスコップを拾った。

穴に土を落としていく。ビニールシートに包まれたスーツケースが埋もれていく。棺《ひつぎ》に花を献じるように、スコップでひと掬《すく》いずつ土をかける。信之は最後には下着だけになって、作業着を、体と畳を拭いたタオルを、スニーカーを、スコップを、順番に穴に投じては踏み固めた。偽物の地層を作るように、みんな一緒に埋葬した。

スーツを着て革靴を履き、鞄を手にした信之は、床板と畳をもとどおりにして部屋を出る。表は完全に夜になっていた。

鋼管通りの健康ランドで汗と泥を洗い落とし、臨港バスに乗って川崎駅へ向かう。駅のコンコースで、しばし足を止めて考えた。

このまま家へ帰ることもできる。娘はまだ起きていて、絵を描こうと誘ってくるかもしれない。妻は怒り、無断欠勤についてあれこれ詮索はしても、最後には信之を許すだろう。いま帰れば、これまでと変わらぬ暮らしをつづけられる。

特に別れをほのめかしもせず、信之は昨日の朝、「いってきます」と家をあとにした。妻子の顔を改めて眺めもしなかった。本当にそれでよかったのか。めずらしく、少し迷う気持ちが生まれた。

しかし逡巡《しゅんじゅん》とはべつに、手は鞄から携帯電話を取りだし、美花に教えられた番号へかけている。電話に出たのは、美花ではない女の声だった。マネージャーだという眼鏡の女だろう。信之が名乗ると、

「グランドパレスで。黒川さんの名前で部屋を取っておきます。フロントで鍵を受け取ってください」

と言った。

ＪＲの改札を抜ける。足は自然に、南武線ではなく東海道線に乗ることを選んだ。列車は川崎を離れ、妻と娘と暮らした団地を離れ、東京方面へ走りだす。

いつか、アパートの床下から輔が発見されるかもしれない。そこに輔を埋めたのは信之だと発覚するかもしれない。けれど、明らかになるのがいまでないなら、それでいい。明らかになるまでは、信之のしたことはただの行為であり、決して罪にはなりえないのだから。

俺は殺した。かつて卑劣な強姦魔を殺し、いままた卑屈な脅迫者を殺して、生きのびた。秘密はもう、どこからも漏れない。大切なのはそれだけだ。美浜島の夜を知るものは、とうとう美花と俺だけになった。あの夜は二人だけのもの。

人間のふりをするのはもうやめだ。殺人者の印がついていることをひた隠し、家族との幸せな生活を求めるふりをする日々は終わった。

これからは、なにに脅《おびや》かされることもなく、常識や世間体に縛られることもなく、欲するままに美花とともに過ごせる。

グランドパレスの前回と同じ部屋に、美花の姿はなかった。信之は上着を脱ぎ、ネクタイとズボンのベルトをはずすと、ベッドにもぐりこんだ。

なにかが、眠る信之を覗きこんでいる。汀《みぎわ》にそそり立つ黒い大波のように、顔も声も定かでない死者の群れのように、それは覆いかぶさり、信之を見下ろしている。

いつもの夢だ。懐かしさと恐れとに耐えてやり過ごせば、朝の訪れと同時に消えていく。

だがなぜか、いま夢に忍びこんでいるのは輔ではないかと思われてきた。陥没した額から、なまあたたかい血潮が信之の頬に落ちる。

やめろ。薄暗く湿った穴へ戻れ。おまえにふさわしい場所へ。

「大丈夫？」

頬に触れているのが美花の指先だと気づき、信之はすんでのところで悲鳴をとどめた。ベッドに腰かけた美花の目は、瞳の縁が子どものように青みがかって澄んでいる。

「もう大丈夫だ」

信之は体を起こし、美花の指を取って唇を押し当てた。「輔と話をつけてきた」

細い骨が動き、背中に美花の腕がまわされるのを感じた。信之は美花と身を寄せあい、しばらくじっとしていた。カーテンを開けたままだった窓から空が見える。早朝の透明な光に満ちて、薄青く晴れわたっている。

シャワーを浴びるあいだに、信之が着ていたスーツは消えていた。新品の下着と、ホテルのパジャマが洗面台に載っている。膝丈まであるパジャマは、細いストライプが入っていなければ白衣かと見まごうような形で、外国の子どもが着るならまだしも、と気後れした。パジャマのズボンを探したが、見あたらない。最近のホテルでは、浴衣のかわりにこのタイプのパジャマを置くことが多いのだろうと諦めた。

美花は応接スペースのダイニングテーブルで待っていた。信之にはブランド名はわからないが、仕立てのよさそうなブラウスとスカートを身につけている。間の抜けたパジャマ姿でいることが、急に恥ずかしくなった。信之はダイニングテーブルの席につくことで、美花の視線から自分のむきだしの脛《すね》を避難させた。

二十年経っても、美花のまえに出るとどうしていいかわからなくなる。そんな自分と、うつくしさを失わない美花に、腹立たしさと喜びを感じた。

テーブルにはルームサービスの朝食が並べられている。美花は銀色のポットからカップにコーヒーを注いだ。

「信之の服、少し汚れてたみたいだから処分してもらうことにした。あとでマネージャーが、合いそうな服をいくつか買ってくるって」

「ありがとう。いただきます」

とは言ったものの、食欲はない。ほとんどが空気だなと思った焼きたてのクロワッサンにジャムを塗って食べたら、それで腹がいっぱいになってしまった。美花はスクランブルエッグをフォークで器用に口に運んでいる。濃い黄色の物体を眺めるうち、また西村のおばちゃんの脂肪だか腐肉だかを思い出した。

使った食器をワゴンに載せ、美花がドアの外へ出すあいだに、信之は鞄を持ってソファセットに移動した。戻ってきた美花に写真を渡すと、美花は信之の隣に膝を抱えるようにして座った。

「こんな顔だったかな」

と、美花は写真を見て言った。

「さあ、忘れた」

と信之は答えた。触れた美花の腕から、体温が流れこむ。美花はバッグを引き寄せ、写真と輔が送りつけてきたカラーコピーとを見比べた。

「この二枚で、まちがいないみたいね。ネガは？」

「ないらしい」

「輔が言ったの？　信じられる？」

「輔が美花を脅すことはもうないよ」

　筏《いかだ》に乗って海を漂うように、ソファのうえの二人はしばし無言でうずくまっていた。

「そう。じゃあ、これで終わりだね」

　美花は備えつけのマッチで写真に火をつけ、カラーコピーと一緒にガラスの灰皿に載せた。炎はずいぶん大きく、白い煙とともに焦げくさいにおいを室内に振りまいたが、信之も美花も動かなかった。灰皿から立ちのぼる火を、信之はくわえた煙草についでに移した。まるで救援信号みたいに燃えると思ったが、助けに駆けつけるものはもちろんだれもいなかった。

　紙はすぐに黒い燃えかすになった。

　三百万が入った封筒を、ローテーブルに滑らせた。美花はそれにちらりと視線をやってから、

「使わなかったの？」

　と聞いた。

「ああ」

「でも、どうやって輔から」

　と言いかけて美花は黙った。信之も黙っていた。

　やがて、ローテーブルに視線を落としたまま美花が言った。

いた。


「これは信之が持ってて」

「いらないって言っただろ。金なんか欲しくない」

「じゃあ、なにが欲しいの」

美花の顔がゆっくりと信之のほうを向いた。冷たい挑発と試すような熱が目に宿っていた。

信之は美花の腕をつかんで立たせ、ベッドルームへ半ば強引に連れていった。

額から鼻筋をたどって唇へ。顎から喉を下りて体の中心の線に沿って舌でなぞる。結局のところ生き物は一本の筒にしかすぎないのに、それに付随する骨と肉の感触、肌のなめらかさ、めぐる血液の脈動と熱さといったらどうだろう。それから唯一、食い物の排出に使われない筒。女だけが持っている行き止まりの穴。その入口に舌を押しこむと、信之の顔の脇にあった脚が震え、美花がかすれた声をこぼした。腰骨に手を添え、抵抗なく裏返した美花の尻から背骨をまた静かに舌先でなぞりあげる。首の付け根の骨を唇で覆い、やわらかく噛みながら背後からペニスを入れた。

美花の内側はこんな感触だっただろうか。楽しませるように、焦らすように、蠢き膨れ形を変えてみせる。必死に取りこみたいのか、闇雲に排除したいのか、どちらともつかぬ動きと熱に煽《あお》られ、美花と接する粘膜すべてに重怠《おもだる》い蜜が溜《た》まっていく錯覚にとらわれた。

練られて深く鋭くなった反応を返す美花の体を信之は知らなかった。離れていた時間の美花を知るものがいるのだと思えば、獣のようなうなり声が喉から漏れた。這いつくばった美花にいっそうのしかかり、投げだされていた細い手首を握ると、乱れた髪のあいだから覗く美花の横顔が微笑んだ。

さあ、ここから創世の新しい神話をはじめよう。ひとを、家を、港を、美浜島にあったなにもかもを、二人で生む。死と壊滅の地をよみがえらせよう。

椿があざやかに咲いては地に落ちる。再びはじまる豊饒と死を、美浜島が言祝《ことほ》いで見せた夢だと、眠りのなかで思った。

妻と娘はどうしているだろうと、考えなかったわけではない。

はじめのうちはたぶん、妻は信之に女でもできたのではないかと疑うだろう。事故に遭ったなら、家族に連絡が入る。家に帰ってこないのは浮気のせいだと妻は憤るはずだ。自分の経験以外から、なにかを発想するということができない女だから。

役所に出勤していないと知ってようやく、妻は不安を覚える。女と逃げたのかしらとか、そもそも女なんておらず、事件に巻きこまれたのかもしれないとか、夜も眠らずに考える。妻を襲う不安と混乱の大半は、信之がこのまま帰らなかったら、生活はどうなるのだろうということだ。

経験していない事柄に対して無防備なままでいるから、いざ経験するとたじろぎ取り乱すんだ。妻の心配顔を思い浮かべ、信之は声を出さずに笑う。俺はずっと、もし俺がいなくなったらおまえはどうやって食っていくつもりなんだと思っていたよ。思っていたけど、言わなかった。そこまで親切じゃないし、おまえが家にいたいというなら、それもまあいいだろうと判断したからだ。妻を愛し尊重したいと心がけていたから、余計な波風は立てまいと、パートに出たらどうだと勧めるのも避けた。子育ての鬱憤を溜めこむばかりの妻をもてあましもしたが、家事だけに専念する存在は、快適な衣食住を送るうえではたしかに便利だ。

信之が便利か不便かで物事を考えていたと知れば、妻はきっと怒り哀しむ。でも、おあいこだ。妻も信之の安否を気づかう裏で、家計の行く末を思って泣き伏しているのだろうから。

娘は純粋に泣いている。さびしくて、なにもかもが苛立たしくて、母親の不機嫌が恐ろしくて。だが、信之はなにもしてやれない。

ここはずいぶん、すべてから遠い。

適温に保たれた部屋の窓越しに、都会の雑踏を見下ろす。外は夏の日射しに白く輝いているが、熱気から遮断された室内はひどく静かだ。ホテルの従業員によって掃除される部屋は、清潔で無駄なものがひとつもない。空気はいつも無臭で、風の流れを感じる

 こともない。

この部屋から街を見ると、あの世からひとの営みを観察しているような気分になる。グランドパレスの一室で、信之はなにをするでもなく過ごす。美花が仕事から戻るのを、ひたすら待つ毎日だ。時間の経過がだんだん曖昧になっていく。妻子に思いをめぐらせてみても、五分と経たずにどうでもよくなる。

海の底にあるという楽園は、もしかしたらこんな場所なのかもしれない。

美花がホテルに帰ってくるたびにセックスをする。美花の住む家はべつにあるはずだが、ホテルを引き払う気配はない。信之に出ていけとも言わない。信之が手をのばすと、笑いながら黙って体を寄せてくる。

俺は褒美を与えられる犬みたいだと思い、そんなことはないと急いで打ち消す。このまま働かず、美花の帰りを待つだけで終わる。それもいいような気もするし、むなしい気もする。

ここのところ、美花は姿を見せない。かわりに一日に一回、眼鏡の女が様子を見にくる。

「必要なものがあれば、こちらで用意すると篠浦が申しております」

「特にありません」

と信之は答える。「美花は忙しいんですか？」

「仕事です」

「いつごろ終わるでしょう」

「わかりません」

まったく同じやりとりを五回した。五回目に「わかりません」と言ったあと、女は嘲《あざけ》りを押し殺した表情でつけくわえた。

「黒川さんは、いつまでご滞在の予定ですか」

滞在、とひとには見えるのかと衝撃を受けた。信之は美花と生活しているつもりだった。生活に入るまえの助走期間、一時避難と言ってもいい。しばらく留《とど》まったのちにどこかへ去るのではなく、美花とともに留まりつづける日々を、やっと選ぶことができたのだと思っていた。

美浜島のことも、俺と美花のつながりも、ちっともわかっていないくせに邪魔をする。平安を得るためには、俺たち以外の人間を全員殺さないとならないらしい。

皮肉な思いに駆られた信之が黙っていると、眼鏡の女は言った。

「ねえ、黒川さん。詳しいことは知らないんですけど」

女は距離を縮め、信之の腕に触れた。「篠浦にあまり期待や幻想を抱かないほうがいいですよ」

「どういう意味ですか」

「あなただけじゃないってことです」

と女は信之を見上げて微笑んだ。「篠浦の才能は、女優としてのものだけではありません。そのとき自分にとって必要な男性を、うまく動かすことができる。わかります？」

地味だと思っていた女が、きれいな肌をしていることに気づいた。表舞台に立ちたいと願ってこの業界に入り、夢破れて美花のマネージャーになったというところか。

「わからないな」

と信之は言い、女の手からさりげなく身を遠ざけた。「あなたは美花のマネージャーでしょう。美花もあなたを信頼しているようだ。それなのになぜ、貶《おとし》めるようなことを言うんです」

女は一瞬、動揺とも憎しみともつかぬ色を目に浮かべたが、すぐに事務的な態度を取り戻した。

「篠浦を大切に思うからです。彼女とはずっと一緒にやってきた。篠浦が持てるものを切り売りして、いまの立場を得るのを見てきました」

女は戸口に向かうまえに一度、信之を振り返った。「黒川さん。女を脅して抱くのは楽しいですか？」

脅す？　俺が美花をか。

馬鹿げたことを言う女だ。俺は美花から一銭も受け取っていない。金などいらないとはっきり言った。美花もわかっているはずだ。俺がいつもいつも、美花のためだけを思って行動してきたことを。

信之はソファにだらしなく腰かけ、窓の外が徐々に暗くなっていくのを眺めた。

美花がどうやって生きてきたか、なんとなく見当はついていた。それでもべつにかまわない。美花が心から助けを求めるときに、呼ぶのが俺の名前であるならば。

そう思って美花を抱き、美花の求めるとおりのことをしてやった男は、たぶん俺以外に何人もいる。

美浜島の夜。あの男にのしかかられて、美花は笑ってはいなかったか?

視線すら動かさず、信之は暗い部屋に一人で座っていた。灯りだす街の明かりが、やがて星のかわりに窓一面を埋めつくした。

夜も更けてから、ひさしぶりに美花がホテルにやってきた。

ドアの開く音がして、オレンジ色の間接照明があたりを淡く照らしだす。廊下から部屋に入ってきた美花は、ソファに座る信之を目にして落胆の影をよぎらせた。影はすぐに微笑みでぬぐわれた。

「驚いた。帰ってしまったかと思った」

「どこへ?」

信之は視線を上げて美花を見た。美花は部屋の真ん中に突っ立ったままだ。

「きみのマネージャーに、暗に出ていけと言われた」

美花は微笑んだまま、「そう」とだけ小声で言った。「なんてことを」でも「気にしないで」でも「出ていってはいや」でもない。「そう」だけだ。

信之は嗤った。それがきみの答えか。長いあいだきみを愛し、きみのために二人を殺した男に対する返事が、その単なる相槌ともため息ともつかない小さなつぶやきなのか。求めたものに求められず、求めてもいないものに求められる。俺も、美花も。まったくもって、よくある不幸だ。

信之は煙草に火をつけ、できるだけ落ち着こうと心がけた。

「俺がきみを脅していると、彼女は言っていた」

「そう？　じゃあ、そうなんじゃない」

美花は苛立たしげに言い、備えつけの冷蔵庫からミネラルウォーターを出して飲んだ。

「ねえ信之。私、疲れてるのよ。出ていってくれても、セックスしてもいいけど、とにかくシャワーを浴びてベッドに行きたい」

「どうして脅していることになるんだ？」

信之は煙草を灰皿でねじ消し、また新たな一本に火をつけた。「金はいらないと言った。写真も渡した。全部きみの言うとおりにした」

「でも、まだあなたがいるじゃない。そして私を抱く。過去を秘密にするかわりに」

「そんなふうに思ってたのか」

「ほかにどう思えって言うの！」

美花は声を荒らげた。「煙草やめて。喉が痛い」

「美花、俺は」

「やめてったら！」

近づいてきた美花が、ローテーブルに載った灰皿をつかんで壁に投げつけた。壁が鈍い音を立て、灰が絨毯《じゆうたん》に振りまかれた。

「自分が特別だとでも思ってるの？」

息を乱した美花は笑う。「おんなじよ。見返りをちらつかせて私を抱いてきた、ほかの大勢の男とおんなじ！」

指に挟んだ煙草から、長くなった灰がいまにも床に落ちそうだ。信之は手が震えそうになるのを懸命にこらえた。

「きみが、助けてと言ったんだ。そいつを殺して、と」

「そんなこと私は言ってない。あなたが勝手に殺したんじゃない」

嘘だ。美花はたしかに言った。いや、聞きちがいかもしれない。暗かった。闇のなかから声がした。美花の声だったと思う。わからない。なにも見えなかったから。獣のように呼吸する三人が、夜の神社で向きあうばかりだったから。

「私を救ってくれたつもり？」

美花は囁いた。「でも、あなたになにをしてもらっても、救いになんかならない。山中は島を出たら、私を芸能プロダクションに紹介してやると言った。そして私を抱いた。それがなんだって言うの。いちいち傷ついて、ひどいことをされたと泣いて暮らさなきゃなんないの？　セックスなんて、あの島であんたとさんざんしてた。あんたとしてたことと、山中が私にしたことと、なにがちがう？　おんなじことよ」

愛の有無が、と言おうとして、信之は言葉に詰まった。かつてもいまも、そんなものはどこにも存在したためしはないのかもしれない。俺は美花を愛していると思ってきた。だが、島で一番見栄えのいい女とするセックスが気に入っていただけではないのか。幼い独占欲、行為の言い訳に、口触りのいい愛という単語を持ちだして満足していただけ。

けれど心のどこかで、そうではないとわかってもいる。美花が俺のすべてを否定しようとするから、俺は自分を守るために、愛ではなかったなどといまさら嘯《うそぶ》こうとしている。実際は愛でも欲望でも執着でも、言葉なんてどうでもいい。ただ、きみをずっと求めてきたということ。きみを大切だと思う気持ちがたしかにあったということ。それだけが本当だ。

「よくわかった」

信之はローテーブルに押しつけて煙草を消した。

「なにが？」

「きみがなにを思ってきたかが。でも信じてくれ。俺にはきみを脅すつもりはない。輔がきみを脅すことも永遠にない」

「まさか」

と言ったきり、美花は黙って信之を見つめた。

「気づいてたんだろう？」

信之は静かな気持ちで、美花を見つめかえした。「俺が殺したよ。きみが『お願い』と言ったから」

「やめて」

美花が叫んだ。「そんなこと私は頼んでない。あなた、どうかしてる。輔は幼なじみじゃない！　それを殺すなんて、嘘でしょう」

信之は立ちあがり、震えている美花の肩に優しく手を置いた。

「俺がなにをするか、薄々わかっていたくせに」

手をすべらせ、美花のなめらかな首筋をそっと撫でる。「だから、金を渡して『お願い』なんて言ったんだろう？」

信之を押しのけ、美花はベッドルームに駆けこんだ。引き出しをひっくりかえす音がする。信之は再びソファに腰を下ろし、天井に描きだされた家具の影を眺めた。

ベッドルームから出てきた美花は、三百万の入った封筒をローテーブルに投げ置いた。

「これで死んでくれる？　お願いよ」

美花は泣いているようだった。信之は胸ポケットから取りだした煙草をくわえた。

「それが美花の望みなら」

「帰って」

と美花は言った。「私になにかを求めるのはやめて。あの夜から、求められてもなにも感じないんだから。もう放っておいて」

信之のすぐ横を通りすぎ、美花はベッドルームに入って境のドアの鍵を閉めた。

夜明けを待って、信之はソファから立った。ローテーブルには吸い殻が散らかっている。ベッドルームからは物音ひとつしない。

少し考えたすえに、信之は三百万の入った封筒をつかんだ。これがなくなったほうが美花は安心するだろうし、くれると言うのだからもらっておこう。

部屋のドアに挟まれた新聞を見て、そうか二週間が経ったのかと思った。

通勤鞄を肩にかけ、二週間ぶりにホテルの外に出た。早朝の街は、すでに動きだしていた。車が行き交う通りを歩き、地下鉄の階段を目指す。堀端をジョギングするひと。早くも会社へ向かうサラリーマン。

まあ、こんなものかと信之は思う。

なにも本気で、美花との暮らしをはじめられると考えていたわけじゃない。そうなればいいと願っただけ。失ったものをできることなら取り戻したいと、心の底から願って生きてきただけ。

こうなると思ってたんだよ。こうなればいいと思ってた。俺がお願いしたとおりに――。

遠い夜に聞いた、輔の無邪気な声が甦る。

そうだ、おまえはもういないんだったな、輔。俺が殺したんだった。すべては、おまえのお願いどおりに進んでいる。

音もなく大波がやってきて、すべてを飲みこみどこかへ去っていってしまった。これまでに俺がしたことを。俺のなかに少しだけ残され、なんとか俺を支えてきた希望や期待や愛を。

美花とは二度と会えない。美花は俺に死ねと言った。

さて、これからどうしよう。地下へ通じる階段の脇に立ち、信之は空を見上げた。

どうしようもない。これまでどおり、死ぬように生きる毎日へ帰るしかない。いつか終わる日まで。

この心臓はいつ止まるだろう。早く輔の死体が掘りだされるといい。やったのは俺だと発覚し、警察が踏みこんでくるといい。それもまたひとつの終わりだろう。

そのとき妻がどんな顔をするのか、見てみるのも一興だ。死ぬように生きる毎日に残された、唯一の楽しみだ。

薄く雲のかかった空が、ビルの背後に茫漠《ぼうばく》と広がっていた。

五

最初は、仕事が終わらないのだろうと考えた。それにしたって、連絡を入れるぐらいしてくれればいいのに。まだ出張先の名古屋にいるのか、もう役所に戻ってきているのかすらわからない。

夕飯時を過ぎても帰らないので、携帯に電話してみた。夫は出なかった。簡単な食事を作って椿《つばき》と家で食べた。南海子《なみこ》の不安が感染したのか、椿は不機嫌に箸で炒め物を掻《か》きまぜた。南海子が食卓を叩《たた》くと体を震わせ、野菜の切れ端を黙って口に運んだ。

深夜になっても夫は帰宅しなかった。何度も電話をしたのに、電源が切られている。

夫は昨日、一泊の出張だから着替えはいらないと言って、いつもの通勤鞄《かばん》を持っていった。南海子は特に疑問を感じることもなく、玄関で夫を見送った。港の護岸工事の視察や、ほかの自治体との交流と情報交換など、泊まりがけの出張はこれまでにもあった。

南海子は箪笥《たんす》を開け、押入も覗《のぞ》いた。洋服も旅行鞄も、動かした形跡はない。やはり、長引く可能性があるような出張ではないということだ。もしや、家を出ていったのではないかと思ったが、それだったら出張にかこつけて、当座の着替えぐらい持っていくだろう。

夫に変わったそぶりはなかった。今夜には帰ると言っていた。

事故にでも遭ったのだったらどうしよう。警察に電話してみたほうがいいんだろうか。

一睡もできずに朝が来た。夫が朝帰りしたのは、ついこのあいだのことだ。そして今度は、出張だと出ていったきり。

なにかが変だ。

朝帰りのときも、本気で夫の言い訳を信じたわけじゃなかった。女のにおいはしなかったから、深く追及せずにおいただけだ。一度の無断外泊で喧嘩《けんか》をするのも馬鹿らしい。もし夫に本当に女がいるとしたら、私があまり口うるさくすると、そっちへ逃げてしまうかもしれない。

そう思って問いつめなかったのが悔やまれた。

椿は食卓で、いつまでもパンの耳をしゃぶっている。

「さあ、もう行かないと。幼稚園に遅れるわよ」

と急かして立ちあがらせた。手をつないで団地の敷地を横切り、道に出る。

「パパ、いないね」

「お仕事が忙しいんだって。すぐ帰ってくるから」

子どもの笑い声が聞こえる。ライオンや象の絵がパステル調で描かれた幼稚園の外壁が見える。先生が笑顔で、「おはようございます。明日から夏休みだね」と挨拶する。南海子も頬の皮膚を笑いの形に動かし、椿の手を離した。涼しい風が、掌に残った体温をすぐにかき消す。南海子はもうまわれ右をして、団地への道をたどりだした。

家の電話が鳴っていることに気づき、急いで玄関の鍵を開けた。かけてきたのは夫ではなく、夫の上司だった。

「ご主人は昨日から出勤していませんが、体調でも崩されましたか」

心配そうな声音の裏に、苛立《いらだ》ちが聞き取れる。

昨日からって、どういうこと？　一昨日はいつもどおり、役所で働いてたってこと？　南海子は混乱に襲われた。一泊の出張に行くと南海子には言っておきながら、その日はふだんのように役所で働き、翌日は無断欠勤する。夫の言動の意味はなんなのだろう。

「風邪を引いたみたいで、熱が高くて。申し訳ありませんが、起きられるようになったら連絡させますので」

なぜ咄嗟《とっさ》にそんな嘘《うそ》をついたのか、自分でもよくわからなかった。指先が冷たくなっていた。

「めずらしく一週間休んだから、体がびっくりしたんでしょう。お大事になさってください」

わからないことだらけだ。南海子は叫びたいのをこらえ、「ありがとうございます」と答えた。

一週間の休み。そんなもの、私は知らない。夫は毎日、「いってきます」とドアを出ていった。スーツを着て、通勤鞄を提げて。なんなの、一週間の休みって。いつのことを言ってるの。

だれにも相談できなかった。なにが起きているのか考えようとすると、脳みそが崩れそうになる。夫はどこへ行った。これからどうすればいい。夫の上司は不審に思っているだろう。また電話してくるにちがいない。

食卓に肘を突き、南海子は掌で額を支えた。山内《やまうち》の声が外廊下から聞こえた。団地の主婦のだれかと、しゃべりながら歩いているらしい。お裾分けなどと称してこの家に来たらどうしよう。いまはとても、山内と話せるような気分じゃない。南海子は息をひそめた。話し声は南海子の家の玄関を素通りし、階段のほうへ過ぎていった。

ほっとして呼吸を再開した途端、押しこめようとしていた想念が、腹の底からブイみたいに浮かびあがった。

夫は出ていった。私と椿を置いて。理解できない。私は捨てられたのか。なぜ。

なぜって、決まっている。女がいるんだ。

ちっとも気づかなかったけれど、ほかになにが考えられる。妻と娘を置いて、なにも告げずに男が家を出ていく理由に、ほかになにがある。

屈辱に目がくらんだ。こんなひどい仕打ちはない。私だって浮気した。でも、家を放りだしたりはしなかった。あの男とどこかへ逃げようなんて考えたこともない。夫と娘のために、毎日毎日ご飯を作って掃除して洗濯して、近所づきあいもゴミ出しも、日常の細々した用事は全部全部やった。それなのに、椿があんなひどいことになって、そのうえ夫は女を作って家を出ていく。

どうして私ばっかり！　こんな目に遭うほど悪いことなんて、私はなんにもしていないのに！

南海子は寝室に踏み入り、夫の衣類を片端から床に撒き散らした。すべてのポケットを裏返し、簞笥の引き出しを底の底まで探った。

几帳面《きちょうめん》な性格の夫は、レシートをスーツのポケットに溜《た》めておくことなどしない。それでも、何枚かはあった。記されているのは昼食時に買った弁当や文房具ばかりで、女の存在の痕跡はどこにもなかった。

どこに隠した。どうやって隠した。

気がつくと日は中天をまわっていた。南海子は椿を迎えにいった。「ママ」と駆け寄ってきた椿は、数歩手前でひるんだように立ち止まった。「どうしたの、いらっしゃい」と手招きし、先生に「ありがとうございました。さようなら」と頭を下げて幼稚園を出た。数人で立ち話をしていた母親が、南海子を見てなにごとか囁《ささや》きあうのが目の端に映った。

夫が家を出たことを、もう知っているのか。南海子は頭に血が上った。悔しさと恥ずかしさに、たまらなくなってうつむく。素足に健康サンダルを履いて出てきてしまったことに気づいた。そういえば、バッグも持っていない。

いつも身綺麗にして椿の送り迎えをしているのに、どうかしている。南海子は笑った。お母さんたちも、私がふだんとちがって、慌てて家を飛びだしてきたような恰好《かっこう》だから、微笑《ほほえ》ましかったのだろう。いつも完璧なのはよくない。どこかに隙があったほうが、他人には好感を与えるものだ。そう思った。

椿は洋服の散乱した寝室を見て、

「どうしたの？」

と聞いた。

「パパの服に風を通してたの。すぐ片づけるから」

居間で椿が見ているテレビの音を聞きながら、南海子はなおもポケットを探りつづけた。箪笥の中身をすべて確認するのには、予想よりも時間がかかった。

「おなかすいた」

と椿が寝室に言いにきて、南海子はやっと、部屋の電気をつけることに思い至った。

寝室の戸口に立つ椿は、なんだか不安そうな顔で南海子を見ていた。

「ごめんごめん。今日はおうどんを取ろうか」

「お蕎麦《そば》のほうがいい」

「なんのお蕎麦がいい？　天ぷら？」

出前を頼んだ。鍋焼きうどんと、天ぷらそばと、親子丼。蕎麦屋の店員は、この家が三人家族だと知っている。二品だけ注文するのがいやだった。

手をつけるもののいない丼を見て、椿は遠慮がちに「パパは？」と言った。

「もうちょっとで出張から帰ってくるから。これは明日の朝、椿とママでチンして食べようね」

その晩は居間に布団を敷いた。椿を寝かしつけてから、寝室に散らばった夫の服をもとどおりにしまっていった。

翌日は台所と洗面所を。翌々日は居間を。家じゅうの棚という棚を、物陰や雑誌の合間を、南海子は調べまわった。ソファのクッションカバーまで開いてみた。南海子の知らない夫の姿は、どこからも現れなかった。

やはり、あのひとに女などいないのかもしれない。では、どこに行ってしまったのだろう。どうして。

「パパは？」と椿に何度も問われ、そのつど「お仕事」と答えるしかないのがつらかった。電話や玄関のチャイムが鳴るたびに、夫ではないかと期待した。どこかで行き倒れた夫が発見され、警察が告げにきたのかもしれないと怯《おび》えもした。何度もドアを開け、外階段を覗いた。椿と一緒に、用もないのに大通りまで出てみたりもした。

不安と混乱が途切れるまもなく襲いかかってくる。南海子の夫は消えてしまった。群馬の母親に打ち明けてみようかと思ったが、できなかった。夫の職場に連絡することも、幼稚園や幼児教室や近所の知りあいに相談することも。

南海子は一人ぼっちだった。どうすればいいのかわからないから、いつもどおりの生活を心がけた。家事、団地内の清掃、幼児教室の夏期講習、挨拶、世間話。

その合間に、しばしば多摩川の堤防に上った。吹き渡る風は肌とほとんど同じ温度で湿っていた。空が青い。それを映す川面は、なぜか薄い銀色に輝いている。対岸のマンションを、ビニールシートでできた家々を、堤防を散歩する老人を、南海子は眺めた。流れる水の行き先を眺めた。

私はなにかをまちがったのだろうか。

椿を抱いて堤防の階段を上がってきた夫を思い出す。あの夜、ついに触れずに終わった夫の手の温度を思い浮かべる。

敷地内に飛ばされてきた小枝やゴミを掃き清めていたら、

「このごろ少し痩せたんじゃないの」

と山内に声をかけられた。

「そうですか。そうでもないですよ」

と南海子は笑ってみせた。今日でもう五日も夫の行方が知れないのに、ぶくぶく太っていられるものがいるなら、会ってみたい。会って、この苦しみからどう逃れたのか教えてもらいたい。

掃除を終え、家に戻って手を洗うついでに、洗面所の鏡を見る。昼でも灯《とも》さなければならない、洗面台の安い蛍光灯。青白い光に照らされて、頬のそげた女の顔が映っている。コンシーラーでも隠しきれなかった目の下のクマ。血の気を失った皮膚はかさついている。

短期間で老けこんだ自分にぞっとした。あわてて化粧直しをし、頬紅をいつもより濃く刷《は》いた。魅力がないから夫に愛想を尽かされたのだと、だれかに欠片《かけら》でも思われるのは我慢ならない。

顔色を取り戻した自分を確認し、南海子はコンパクトケースを閉じ口紅をしまった。

あの男はどうしているだろう。鋼管通《こうかんどお》り近くの古いアパートに住む、あの男は。

椿のことがあってから思い出しもしなかったのに、南海子はふいに男に会いたくなった。夫が勝手をするのなら、私だってスポーツクラブに通った日々を取り戻せばいい。

楽しく、刺激に満ちた快い時間を。せっかくきれいに化粧したのだから。

男の真っ黒な髪と目を思い、流れる汗の味と甘いような男のにおいを思った。

耳の裏に香水を少しつけたところでチャイムが鳴った。南海子は化粧ポーチを放りだして玄関へ走った。

立っていたのは五十絡みの男で、市役所の名刺を差しだした。香田《こうだ》というその男が夫の上司だと、肩書きからすぐにわかった。

「奥さん、ご主人の容態はどうですか。まったく連絡がないので心配で」

出勤しなくなった部下を案じているにしては、訪問までに日にちが経《た》っている。それだけの時間、役所は夫抜きで滞りなく機能したということだ。これから永遠に夫が不在であろうとも、滞りなく機能しつづけるということだ。夫はあんなに忙しく働いていたのにと思うと、南海子はおかしくてならなかった。

香田は不機嫌そうだった。面倒事にはかかわりたくない、しかし立場上、面倒事が起きているならたしかめねばならない、といったところだろう。

「お悪いんですか」

と問われて南海子が口ごもると、香田は疑いをあからさまに表情に出した。まったく連絡を寄越さないとは、どういう妻だ。本当に亭主の看病をしているのか。そんな思いが、前触れなく訪問した男の目に透けていた。

言い逃れはできそうにない。南海子は覚悟を決め、香田を居間へ通した。

「実は、夫はずっと家に帰っていないんです。どこへ行ったのかもわかりません」

経緯を語り聞かせるうち、香田の目に好奇心と嗤《わら》いが宿るのを南海子は見た。借金か、女か。詮索したくてたまらないのをこらえ、香田はおおげさに驚いてみせたり、深刻そうに相槌《あいづち》を打ったりする。

話しあいのすえ、当面は休職扱いにして様子を見ようということになった。

「早く捜索願を出すべきですよ」

と言い残し、香田は去っていった。

夫を探してくれるよう警察に頼む、という方法を、南海子はそれまでまったく考えついていなかった。

そうか、警察か。ひとに話したことで少しすっきりした南海子は、香田の提案を慎重に吟味した。考えつかないよう気をつけていた。これで家庭内に問題が存在することを、公的に表明することになる。恥だと感じ、なぜ勝手に出ていった夫のために私が恥をさらさねばならないのだという悔しさもあって、ためらった。

でも、なにもせずにいるよりは気が紛れる。

椿が幼児教室から戻るまえにと、南海子は部屋で電話帳を調べ、中原《なかはら》警察署に直接連絡した。生活安全課に内線をまわされ、捜索願を出すのに必要なものを説明された。印鑑、家出人の写真、本籍や生年月日などの家出人の情報。

本籍はたしか、夫が結婚前に住んでいたアパートの所在地にしてあったはずだ。南海子は夫と自分の戸籍をちゃんと見たことがなかった。川崎市役所に婚姻届を出すとき、南海子自身は群馬から戸籍抄本を取り寄せたが、本籍地であるアパートは川崎市内だったから、夫の戸籍抄本は必要なかった。夫婦二人の戸籍ができ、向河原《むかいがわら》の団地を新居と定めてからも、本籍は変更しなかったし、パスポートなどを取得する機会も生じなかった。

本籍の番地は、南海子の記憶のなかで曖昧だった。運転免許証も持っていないので、確認できない。気は乗らなかったが、化粧も直したしちょうどいいと自分に言い聞かせ、川崎市役所へ戸籍謄本を取りにいった。夫が南海子に同僚を紹介したことなど一度もないのに、窓口のソファに座って待つあいだ、「知った顔に会いませんように」と祈った。

この一枚の紙に記されているのが、私の家族。夫と自分と椿の名が記された謄本を、南海子ははじめて手にした。夫の捜索願を出す過程で、家族であることを証《あか》す紙を目にするというのも皮肉だと思った。

中原警察署は、武蔵小杉《むさしこすぎ》駅から数分歩いたところにあった。担当者は中年の男で、出はじめた腹を窮屈そうに制服で包んでいた。

夫の年齢や外見的特徴、携帯電話の有無、いなくなったときの服装など、南海子はわかるかぎりのことを細かく用紙に記入した。本籍地も、取ってきたばかりの戸籍謄本を見て書き写した。

担当者は用紙を受け取り、さらに具体的な質問をした。失踪する理由に心当たりはないか。なにか悩んでいるそぶりはなかったか。

ようやく南海子は、捜索願の意味を察した。生きている人間を探してもらうための書類ではない。死体が出たとき、身元を確認する手段として照らしあわせるための書類だ。夫が自殺するという可能性を、南海子は微塵《みじん》も考えていなかった。夫はもう、どこかで死んでいるかもしれないのか。遠く耳鳴りがしだした。鈍く低いその音は、担当者の言葉と重なって聞こえた。

「もし職務質問などをして、相手がご主人だとわかった場合も、家に帰るよう強制することはできません」

夫が死を選ぶとは思えない。それこそ、死ぬ理由が思い当たらない。夫は深く絶望することも、喜びに満ちて高揚することもないように見えた。いつも穏やかで、感情をあまり乱さないひとだ。そんな人間が、自殺などするだろうか。

ふと、「殺してやろうか」と静かに言った夫の顔が浮かび、南海子は震えた。自殺していようといまいと、このまま帰ってこなかったら、夫は死んだのと同じだ。

南海子を元気づけようと思ったのか、担当者はわざとらしく明るい声を出した。

「金の動きに気をつけることですよ、奥さん。通帳をまめに確認しなさい。どこで金が引きだされているかを。家出人の居場所が判明するのは、だいたいこの方法からです」

幼児教室に寄って、椿を連れて家に帰った。警察に言われたとおり、駅前のＡＴＭへ通帳の記帳に行こう。出かけるまえに念のため、二冊ある通帳を隅々まで眺めた南海子は、積み立てた三百万がなくなっていることに気づいた。

耳障りな音がする。それは波みたいに近づいては遠ざかる。うるさい。うるさい。南海子は通帳を手にしたまま首を振った。

「ママ」

と椿が小さく呼んだ。音の正体は、南海子の喉から細く太く発せられる、悲鳴ともうなりともつかぬ声だった。

「なんでもない」

と椿に微笑みかけたが、頬がひきつっていたのだろう。椿は怯えたようにうつむき、画用紙にウサギの絵を描いた。南海子の機嫌を損ねないために、静かに集中して絵を描くふりをしているのだとすぐにわかった。

かわいげのない子。大人の顔色を卑屈にうかがってばかりいる。

食卓に向かってクレパスを握る椿の背を、南海子は手で強く突いた。椿は胸もとを食卓の縁に打ちつけ、びっくりして泣きだした。

「そんなに痛くなかったでしょ」

南海子が冷蔵庫を開け、夕飯の仕度をはじめると、椿は諦めたように泣きやんだ。

南海子は眠れずに夜を過ごした。

三百万を持って、夫はどこへ消えたのか。

夫が転がりこめる場所を、南海子はまったく思いつけなかった。女どころか、夫の友人すら一人も知らない。

過去も、現在の交友関係も。なぜ夫はなにも語らずにいたのか。未来についてすら、夫は希望を述べなかった。椿の教育のことも、家を買う計画も、南海子ばかりが話して、夫は「いいね」とうなずくだけだった。歩み寄ろうと思って、どこで生まれ、幼いころはどんな暮らしだったのか尋ねたのに、なんだか夢みたいな話で誤魔化されて終わった。よその夫婦もこうなんだろうか。考えだすと目が冴える。

もうひとつ、南海子を眠らせぬものがあった。通帳を見て思い知らされた。

これからは減っていくばかりだ。椿の幼児教室、受験、それらはどうなる。夫が戻らなかったら、私たちの生活はどうなる。

二組敷いた布団の片方に寝かせても、椿は南海子の腕のなかにもぐりこんでくる。熱帯低気圧が通過しているらしく、窓に当たる雨粒の音がする。椿の眠りを肌に感じ、暗い天井を見上げる南海子のなかにも大風が吹く。

明日はまた、風が運んできた敷地内のゴミを掃除しなければならない。

椿は幼児教室へ向かう途中、道で盛大に転んだ。娘が起きあがり、血の出た膝を見下ろして顔を歪《ゆが》めるのを、南海子は横に立ったまま見ていた。なんて鈍くさいんだろう。

ずっと以前、南海子にも同じようなことがあった。子どもだった南海子が父親に連れられて、実家近くの神社の縁日に行ったときだ。ひとがたくさんいる境内《けいだい》で転んだ。恥ずかしくて、砂利が膝に埋まって痛くて、泣いた。父親は「鈍いなあ」と、酒臭い息で笑った。

めずらしく父に誘ってもらえて、うれしかったのに。どうしてそんなときに、私は転んでしまうんだろう。どうして父は、笑いながら私を置いていってしまったのだろう。

椿が南海子の手を握った。血のついた手が気持ち悪い。「しょうがないわねえ、もう」と乱暴に払い、バッグからポケットティッシュを出して、手と膝の血を拭いてやった。

「お教室で救急箱を貸してもらえるから。行くよ、ほら」

椿の手首をつかんで、南海子は歩く。椿はうつむいていたが、泣きはしなかった。

このまま夫が帰らなかったら、通帳の残高はますます減るばかりだ。だからといって、幼児教室を辞めることはできない。辞めたら、椿の将来はどうなる。でも受験して、合格して、そして？　入学金は、十五年以上払いつづけなければならない学費は、どうすればいい。

収入が必要だ。さしたる職歴も技能もない、三十代の子持ち女が収入を得る手段など限られている。パートか場末の水商売か。どちらの稼ぎもたかが知れている。だがゼロよりはましだ。いますぐ働きはじめるべきだ。

そう考えて、でもなにも行動はしなかった。

これは夫の復讐《ふくしゅう》ではないだろうか。南海子の浮気に気づき、内心で腹を立てていた夫は、ちょっと懲《こ》らしめてやろうとして姿を消した。困惑し、動揺する南海子を、夫はどこかで見ている。ふだんどおりの生活をしていなければ、そのうち夫がひょっこり戻ってきたときに、いままでと同じ暮らしをスムーズに再開できない。あなたをこんなに必要としているのだからと示さなければ、どこかで見ている夫の怒りを解くことができない。

あるはずのない夢想をして、南海子は夫の定収入で暮らす専業主婦を演じる。

きっと帰ってくる。きっと帰ってくる。呪文《じゅもん》のように繰り返し自分に言い聞かせる。

夫がいなくなったことを、受け入れるのが怖かった。夫が南海子になんの感情も抱いておらず、ただなんらかの勝手な理由で姿を消しただけなのだと、認めるのが怖かった。それぐらいなら、夫は怒りと嫉妬から子どもっぽい仕打ちをしているのだ、と思うほうが楽だ。

なにもわからず、どこへも行けないまま、南海子は団地に帰ってきた。外階段の下に並んだステンレスの郵便受けを覗く。大ぶりの封筒が入っていた。

夫からかと思い、南海子は急いで封筒を取りだした。持ってすぐに、中身が札だと気づいた。封筒には見覚えのない筆跡で、「黒川《くろかわ》南海子様」と書いてある。差出人は「野《の》村結子《むらゆうこ》」。

知らない。気味が悪い。夫からではなかったことに落胆し、野村結子とはもしかして夫の女の名前だろうかと憤った。足早に階段を上がり、玄関を入ってドアを閉めた南海子は、荒くなった呼吸をなんとか抑え、封筒を指で破り開けた。

なかにあったのは市役所の封筒に入った百八十万円と、写真のネガと、手紙が二通だった。

南海子は何度もつっかえ、叫びを押し殺しながら、二通のうちの長いほうの手紙を読み進めた。どういうこと？　信じられない、でも。手にかいた冷や汗で便箋が湿っていく。


……………

時間がないし、書き慣れてもいないから、ここまで俺が書いてきた手紙の意味が、あんたにはよく伝わらなかったかもしれないな。

工場では、日誌には要点を書けと指導される。
一、俺と、篠浦未喜《しのうらみき》（中井美花《なかいみか》）と、あんたの夫の黒川信之《のぶゆき》は、美浜島《みはまじま》で生まれ育った。
二、あんたの夫はひとごろしだ。
この手紙があんたの手に渡ったってことは、俺はもう死んだってことなんだろう。それもまあいいかなと思っている。

本当は、死ぬのはとてもこわい。でも、ずっと待ってもいた。大きな波が、俺を遠くへ連れていってくれるのを。待っていれば必ず、それはどこからやってくるって知ってるか？

ここに書いてあることを、信じても信じなくてもどっちでもいいよ。

黒川輔《たすく》

すべてを読み終え、なんとか理解するまでに、ずいぶん時間がかかった。南海子は手紙とネガと金をまえに、食卓で呆然《ぼうぜん》と座っていた。

これはなんなの。

あの安アパートに住んでいた男は、夫を知っていた。黒川輔という名の夫の幼なじみは、私がだれだか知っていて、近づいてきたのだという。

そしてまた、夫も私と黒川輔の関係を知っていた。知っていて、あの部屋に出入りもしていた。私が黒川輔に抱かれていた部屋に。

なぜ。なぜ夫は、なにも知らないふりをしていたの。私を責めず、いつも穏やかに笑っていたの。

南海子はふらつきながら立ちあがり、捜索願を出すときに使った戸籍謄本を引き出しから取ってきた。

本籍の横に、「平成四年四月壱拾弐日　東京都昭島《あきしま》市拝島町《はいじまちょう》七丁目四番地の伍から転籍届出」とある。これがたぶん、夫が育ったという施設の所在地なのだろう。

ついで、夫の欄を見た。

昭和四拾八年七月壱拾弐日東京都美浜島村で出生同年七月弐拾日父届出入籍

平成壱拾弐年六月九日吉川《よしかわ》南海子と婚姻届出

美浜島。

視界がぶれるような衝撃があった。本当に、美浜島と書いてある。では、黒川輔が寄越した手紙は真実なのか。

黒川輔と女優の篠浦未喜とともに、夫は美浜島で生まれ育った。夫は美浜島で、山中《やまなか》という男を殺した。短いほうの手紙には、黒川輔の筆跡ではない震える字で、山中の死体のある場所が書いてあった。ネガだからよくわからないけれど、日にかざしてみたら、たしかに男の死に顔らしきものが見える。明暗が反転した顔は不気味で、南海子は短い悲鳴を上げ、すぐにネガを食卓に放りだした。

そして夫はいまもまた、篠浦未喜のために、美浜島につらなる黒川輔を殺そうとしている。いや、もう殺したのかもしれない。なにも知らない野村結子の手によって、黒川輔の手紙は南海子のもとに届けられた。

美浜島の名は、南海子も記憶に留《とど》めていた。突然の大津波に襲われ、住民の大半が死んだ島だ。テレビでも連日のように報道された。ヘリコプターから撮影した島の風景を、子どもだった南海子も何度も見た。

茶色い土砂に埋もれた港。醜くえぐられた山肌。ものものしい機材。点々と並ぶカーキ色の死体袋。

緑がいっぱいあって、海もすぐ近くだ。

夫はあの津波に遭い、生きのびたごく少数のうちの一人だったのか。まさか。島で生まれ育ったなどと、あのひとは一言も言わなかった。

秘密は海に沈んだ。

篠浦未喜が笑っている。汚れを知らぬ顔で、わらっている。

なぜなんて、答えはもうずっとまえから知っていたじゃないか。

夫が私になにも言わなかったのは、私を愛していないからだ。一度も、かけらほども、愛したことなどなかったからだ。

もうこれ以上、なにもわかりたくないと南海子は思った。

電話が鳴った。幼児教室からだった。

「お迎えの時間が過ぎているんですが」

南海子は無言で受話器を置き、百八十万を市役所の封筒ごと冷蔵庫の野菜ボックスにつっこんだ。


朝の食卓で、椿は牛乳の入ったコップをひっくりかえした。南海子は椿の手の甲をつねりあげ、「自分で拭いて」と布巾を投げつけた。椿は泣いた。こぼれた牛乳が食卓に広がり、床に滴《したた》りそうになっている。しかたがないから、南海子が拭いた。

夫は人知れず自殺したか、篠浦未喜のもとにいるか、どちらかだ。だけど、どうやってたしかめればいい。日本中を巡って夫の死体を探すのか。篠浦未喜の所属事務所に電話でもして、夫がそちらにいませんかと尋ねるのか。

どちらも現実的じゃない。死体になってなのか、生きたままでなのかも定かではないが、結局、夫が帰ってくるのを待つしかない。

もし、夫が生きて帰ってきたら、どうすればいいのだろう。恐ろしい仮定に南海子は震えた。だって私は知ってしまった。夫がひとを殺したことを。私を愛してなんていないことを。

それなのに、戻った夫をなにくわぬ顔をして迎え入れ、いままでと変わらぬ暮らしをつづけるのか。罪を告発せず、愛し愛されるふりをして殺人者とよき家庭を営むのか。いつ終わる。いつ終わってくれる。なまぬるいこの苦痛は、もしや死ぬまでつづくのか。

椿はまだ泣いている。南海子はふいに、鋼管通りのアパートへ行ってみようと思い立った。そうだ、すべてはあのアパートに住む男のでっちあげ、足の遠のいた南海子への手の込んだいやがらせかもしれない。

椿の手を引き、向河原駅へ行った。川崎方面へ向かう電車に乗せられ、椿は面食らったようだった。

「お教室は」

「今日はお休みして、ママと探検に行こう。秘密の探検だから、だれにも言っちゃだめ。わかった？」

椿は目を輝かせてうなずいた。臨港《りんこう》バスの車内でも、上機嫌で歌を歌いながら窓に額をくっつけている。

「汚いからやめなさい」

と、南海子は椿の襟ぐりを引っ張った。少しの遠出に気を取られ、父親の不在をすぐに忘れてしまうなんて、この子はやっぱりちょっと頭が悪いんじゃないかといらいらした。

臨港中学校前でバスを降りる。アパートへの道のりが懐かしかった。乾いたアスファルトに、濃い影が落ちている。蟬《せみ》の声とともに、夏の日射しが降りそそぐ。昼下がりの蓮華《れんげ》荘は、なにも変わった様子はなく静かだった。あの手紙はでまかせだったんだ。男はいつものとおり、工場の出勤時間まで眠っているのだろう。南海子はアパートの外階段を上がり、部屋のドアを控えめにノックした。返事がない。椿は興味深げに、手すりの錆《さび》を爪で剝《は》がしている。もう一度、今度は強く叩いた。

留守のようだ。弁当を買いにいっただけで、待っていればすぐに帰ってくる。ドアノブをまわしてみる。鍵はかかっていなかった。

やっと出口を見つけたとばかりに、室内で淀んでいた空気が押し寄せた。黴《かび》のにおいとかすかな腐臭がする。部屋の隅にゴミが入っているらしきレジ袋が置いてあった。袋の口は閉じているが、小蠅《こばえ》が何匹もたかっている。畳はざらついた埃《ほこり》に覆われていた。

南海子は開けたドアに身を寄せ、目を閉じた。あの男は、しばらく戻ってきていない。

そしてたぶん、この部屋には永遠に帰ってこない。

手紙に書かれたことは真実だと、認めるほかなかった。単なるいやがらせの手紙に、百八十万を添えるひとなどいないだろう。辻褄《つじつま》はすべて合う。

黒川輔はこの世から消え去った。南海子の夫に殺された。いまはどこか遠い場所、だれも知らないところで眠っている。

「うわあ、汚いねえ」

と椿が室内を覗きこんだ。「だれのお部屋?」

「知らないひと」

南海子はドアを閉め、椿の背を押して階段を下りた。

「えー、知らないひとのお部屋、勝手に開けちゃったの? ママ、いけないんだ」

静かにして。お願いだから黙って。調子に乗る椿の頭をはたいてやりたい。あんたはひとごろしの子。私はひとごろしと結婚した。どうしたらいいの。これがばれたら、私たちはどうなるの。

アパートの塀の外に、若い女が立っていた。どこかの会社の事務の制服らしきものを着ているが、若くて、美しい。

南海子は動揺を隠し、目を合わせずに女の脇を通りすぎようとした。

「あの」

と女に呼びとめられた。「いま、二〇四号室から出てきませんでしたか」

南海子は振り返り、女をもう一度よく眺めた。

「もしかして、野村結子さんですか」

「はい」

この女のことも、黒川輔は抱いたのか。あるのは欲望だけだったはずなのに、南海子は女に嫉妬めいた感情を覚えた。あの男の肌を這《は》う傷跡を知る女。濡れたような黒い目と、静かに入ってくるときの感触を知る女。

「あなたが送ってくださった手紙で」

南海子は黒川輔が書き送ってきた内容を、慎重に思い出す。「洋一《よういち》さんが亡くなったと知ることができました。それで、輔さんの様子を見にきたんです。でも留守みたいで」

「よかった」

女は笑顔になった。「やっぱり黒川南海子さんですね。そうじゃないかと思ったんです。輔の行き先に、なにか心当たりはありませんか」

「行き先って、ちょっと留守にしているだけじゃないの？」

「旅行をすると言ってたんです。でも、一週間以上経つのに連絡がありません。工場のみんなも心配していて、いま昼休みだから、私が代表して見にきました」

「鍵はかかっていなかったから、すぐに戻ると思うけれど」

「旅行に行くのに、鍵をかけずに出たんでしょうか」

「そうね、変よね。私の住所、覚えていますか？」

「いいえ。輔に言われるままに投函してしまったので」

「じゃあ、書いておきます」

南海子はバッグから手帳を取りだし、適当に思いついた番地と電話番号を記した。

「なにかあったら、連絡してください。私も親戚に、輔さんが寄っていないか聞いてみますから」

女に会釈《えしやく》し、南海子は振り向かずに鋼管通りへ出た。「だあれ？」としつこく聞いてくる椿を無視し、川崎駅行きのバスに乗る。

車内の冷えた空気に触れた途端、汗が噴きだした。こんなふうに演技しおおせる自分を、南海子はいままで知らなかった。心地よかった。

野村結子はどうするだろう。きっと、いまの南海子と同じ不安と混乱のなかで、黒川輔の行方をあれこれ想像するはずだ。

輔、と呼び捨てにする野村結子の声音には、自負と牽制《けんせい》の響きがたしかにあった。南海子の体から、あの男の甘いにおいを嗅《か》ぎ取ったのかもしれない。

かわいそうに。南海子はハンカチで額に浮いた汗をぬぐう。黒川輔は帰らない。

最後に多摩川のほとりで会ったとき、あのひとは黙って私を抱きしめ、とても優しく撫《な》でてくれた。

私も野村結子も、男に消え去られた女だってこと。たしかなことは、それだけだ。

もう疲れきっていたので、夕飯はパンと目玉焼きとみそ汁にした。おかしな取りあわせだし、朝食みたいでもあるが、出前を取るような贅沢《ぜいたく》はできなかった。

百八十万は戻ってきたけれど、夫が帰らないかぎり収入を得るあてはない。休職扱いはいつまで許されるのか。夫が帰ってきたとしても、一度失踪したような人間を、役所はこれまでどおり受け入れてくれるのか。

考えだすと、無駄に金を使う気にはとてもなれない。

せっかく用意した夕飯を、食べたくないと椿はぐずる。パンに絵を描いてくれなきゃ食べないとごねる。

「じゃあ一生食べなきゃいいわよ！」

南海子は椿の手からパンをはねのけた。八枚切りの食パンは台所の窓に当たってシンクに落ちた。椿は紙くずみたいに顔を歪め、ついで大声で泣き叫びはじめた。

「パパに会いたい！　パパ、パパ！」

爆発する怒りが南海子の理性を白く焼き払った。

「うるさい！」

　思いきり平手で頰を打つと、椿は「ぎゃっ」と短い悲鳴とともに椅子から転げ落ち、ますます高く泣き声を上げる。

「黙りなさいってば！」

　朝に結ってやった髪をひっつかみ、椿の顔面を床に打ちつける。それでも泣きわめくので、腿《もも》の裏をつねり、尻といわず背といわずめちゃくちゃに両手で叩いた。

「どうしたんだい！　なにやってるの！」

　気がつくと南海子は、踏みこんできた山内にうしろから羽交い締めにされていた。膝の下では、椿が体を丸め、引きつけを起こしたようにしゃくりあげている。

「椿ちゃん、ほら、大丈夫だからこっち向いてごらん」

　山内は椿を優しく抱え起こし、頭から順に体を触った。椿は鼻血と涙とよだれで顔を汚していた。山内は身につけていた花柄のエプロンで涙と血を拭き、椿の鼻の穴にティッシュを詰めた。

「ママが急に怒ったからびっくりしたね。こっちの部屋で、おばさんとちょっと休もうか」

　あんたはここにいな、と囁きを残し、山内は椿と寝室へ入っていった。山内が勝手に押入を開け、布団を敷く気配がする。椿のすすり泣きと、なだめるように話しかける山内の声が漏れ聞こえた。南海子は椅子にすがるようにして立ちあがり、なんとか腰かけた。

食卓に載せた両手が震えている。

山内はしばらくして寝室から出てくると、「眠ったよ」と言った。南海子の向かいの椅子を引き、「よいしょ」と座る。

「ねえ、いったいどうしたの」

南海子は黙っていた。山内はため息をつく。

「このごろ、ご主人の姿を見かけないね。なんかあった？」

視界がぼやけたと思った途端、手の甲に熱が落ちた。

「夫は出ていきました」

涙はあとからあとから滴って、南海子の手にそっと重ねられた山内の手をも濡らした。

「そうじゃないかと思ってたよ」

「どうしたらいいのか、私もうわからない！」

南海子は大声で泣いた。堰《せ》き止められていた水のように、泣き声はあふれつづけた。

山内が食卓をまわってきて、励ますように南海子の肩を撫でた。

声を聞きつけて寝室から出てきた椿が、なにも言わず南海子の胸に顔を押しつけた。

「ごめんね、ごめんね」

迸《ほとばし》るように口を衝いて出た謝罪の言葉は、怒りにも聞こえるほど激しかった。「ごめんね」と言いつづけながら、南海子は椿を抱きしめた。

謝っても怒ってもどうにもならないが、そうせずにはいられない。

取り返しのつかないこと、理不尽、暴力に包囲され、助けてほしいと虚空に向かって許しを請うしかできなかった。


夫は家を出てから二週間後に帰ってきた。

南海子には見覚えのない服を着て、出ていったときと同じように通勤鞄を提げ、「ただいま」と朝の玄関に夫は立っていた。

「パパ!」

と椿は夫に飛びつき、夫は鞄を置いて椿を抱きあげた。

「ずっと帰れなくてごめんな」

「どこ行ってたの」

「出張だよ」

「お土産!」

「お土産を買う暇はなかったんだ」

椿はむくれたが、父親に頰をつつかれ、「今度、椿の好きなおもちゃを買ってあげるから」と言われて、すぐに笑顔になった。

南海子は凍りついたように台所にたたずんでいた。二週間ぶりに目にした夫には、なにも変わったところはなかった。

穏やかで、娘に優しく、真面目《まじめ》そうな微笑みを浮かべている。

夫は椿を床に下ろし、南海子を見た。後ろ暗さも悪びれたふうもまったく感じられない、澄んで平板な目をしていた。

「パンがあるから、焼いて食べて」

南海子は視線をそらし、椿をうながした。「ほら、お教室に行かないと」

「パパ、今日はおうちにいる？」

「ああ、いるよ。お教室が終わったら、お絵かきしよう」

夫の声を遮断するようにドアを閉めた。背中が汗で湿っていた。椿は父親が帰ってきてうれしいらしく、不完全なスキップで道を行く。ぶたれてから南海子のまえでは怯えていたのに、いまはそれすらも忘れたようだ。たびたび振り返っては、「パパ帰ってきたね」と笑う。

この調子では、きっと幼児教室でも、「パパが帰ってこない」と先生や友だちに言っていたはずだ。

「出張から帰ってきたの」

と、南海子は椿に言い含めた。

「パパはどうしたの？』って聞かれたら、「お仕事で出かけてたの。お友だちゃ先生に『パパはどうしたの？』って聞かれたら、

『出張から帰ってきた』って教えてあげて」

夫の顔を見た途端、受験仲間のあいだでの評判に気がまわるようになった自分がおかしかった。

椿を幼児教室に預け、来た道を戻った。団地がとても遠くにあればいいのに。夫と部屋で二人きりになるのだと思うと、なんだか怖かった。

あんたの夫はひとごろしだ。

夫は居間のソファにおり、戸口に立った南海子を振り仰いだ。

「座って」

と、隣の座面を掌で軽く叩いてみせる。言われたとおりにした。

「心配した？」

と夫は聞いた。南海子はうなずく。

「なにも言わずに出ていって、悪かった。実は、知人に金を貸していて、それを返してもらいにいってたんだ」

「いくら？」

「三百万。少し時間はかかったが、きっちり戻ってきたから」

夫は通勤鞄から、帯のついた札束を三つ出した。ローテーブルに並べられた札束を見て、南海子は笑いたくなった。夫の働きに報い、篠浦未喜がうやうやしく授けた褒美なんだろう。夫が黒川輔に渡した金の残りと合わせ、四百八十万。夫が幼なじみを殺した値段は、実質的に百八十万ということだ。

高いのか安いのか、南海子には判断がつかなかった。百八十万の存在を、夫に言うつもりもなかった。金と手紙とネガはセーターにくるみ、南海子の服ばかりが入ったプラスチックの衣装ケースにしまってある。南海子に家事を任せきりの夫は、箪笥にも押入にもほとんど手を触れない。自分がスーツを何着持っているかすら把握していない。折を見て、群馬の実家に持っていこう。子ども時代を過ごした部屋の天袋に隠せばいい。

あなたは秘密を完全に海に沈めたと思っているのだろうけれど、それはまちがいだ。死ぬことでしか、ひとは秘密から逃れられない。死んではじめて、秘密は秘密としての魔力をなくし、ただの事実になる。

秘密を呼び覚ます呪文を、いまは私が握っている。あなたの破滅は私と椿の破滅だから、黙っていてあげる。うまく秘密を管理してあげる。

でも、あなたがまた私を裏切るのなら、愛を装うのをやめて私を侮辱するのなら、そのときはきっと、秘密は海の彼方《かなた》から大波となってよみがえるだろう。

「知人って、だれ」

南海子は平静を装って尋ねた。

「きみとは面識がないやつだよ」

「美浜島時代の知りあい？」

「どうして知ってる」

夫は驚いたらしく、南海子の横顔に視線を当てた。探るように冷たい目だと思った。

南海子はなにも気づかぬふりで、首をめぐらせて夫を見た。

「ごめんなさい。あなたがどこかで事故にでも遭ったんじゃないかと思って、捜索願を出しちゃったの。そのときに戸籍謄本が必要で」

「そうか」

夫はしばし南海子の表情を観察しているようだったが、納得したのか微笑んだ。「じゃあ、警察に行って届け出を取りさげないとな」

「明日にでも私が行く。帰ってきてくれたんです、って言いにいく」

南海子は夫の手に、軽く自分の手を載せた。ひんやりとしていた。慣れ親しんだ夫の手。本当にこの手がひとを殺したのか。爪は短く切りそろえられ、汚れはどこにもついていない。節の目立たない、長くきれいな指をしている。

掌に汗がにじんだので、南海子は夫の手のうえから自分の手をどかそうとした。夫は自由になった手で、離れていく南海子の手首をつかんだ。

身をすくませたのが、ばれなかっただろうか。

南海子はつかまれた手首から夫の顔へと視線を上げた。

「美浜島のこと、黙っていてすまなかった。でも、つらい思い出もある場所だから」

夫の目にあふれる誠実。愛情。そのようなものに見せかけた光。

「わかってる」

と南海子は言った。「今度、お墓参りにいこう。五月に母にも、ちゃんと行かなきゃだめだって叱られたの。改めて、あなたのご両親と妹さんに手を合わせたい」

「ありがとう」

と夫はつぶやき、南海子を抱き寄せた。南海子は体の強張《こわば》りを解き、夫のしたいようにさせた。

悟られたら終わりだ。この生活も、せっかく作った家庭も終わる。

生きのびるために、南海子はなにも知らないふりをする。ひとごろしらしい夫に当然のこととして抱かれ、愛し、尊敬しているふりをする。

ああ、夫が黒川輔を殺したなんて、私の突拍子もない思いちがいでありますように。

もし本当に殺したのだとしたら、どうか永遠に、黒川輔の死体が見つかりませんように。

時限爆弾つきの暮らしは、いままでとは比べものにならないほど心躍るものになる予感がした。

夫が体のうえで動いている。

いつ爆発するかと怯えながら、結局安泰に一生を終えるのと、爆発して家族もろとも吹き飛び、いまの生活が粉々になるのとでは、いったいどちらがより地獄に近いだろうと考えた。


なにごともなかったかのように、もとどおりの毎日が過ぎていく。

夫は役所に復職し、椿は幼稚園と幼児教室に通う。南海子は家事をし、近所の主婦や母親仲間との社交に励み、笑顔で夫と娘を送りだしたり迎えたりする。

隣で眠る獣が突然牙を剝《む》くのではないかと、夏のあいだはあまり眠れなかった。涼しくなるにつれ、南海子はひとごろしの隣で寝るのに慣れた。椿の小学校受験がそろそろはじまる。食卓で、夫婦で臨む面接の練習をした。

夫はあいかわらず夢にうなされる。哀しげなうなり声を喉からこぼし、夜のなかに横たわっている。

南海子のまえでは無害な獣だ。

九月の彼岸に、家族三人で昭島へ行った。駅からタクシーに乗り、丘の斜面にある公営墓地へ向かう。

花束を持った椿が、「お墓どっち？」とはしゃいで砂利道を駆けていった。墓を探すのには少し手間取った。「結婚したときに来て以来だから」と南海子があたりを見まわすと、夫は「俺も」と言った。

南海子は少し驚いた。それじゃあ、ずいぶん放ったままにしていたことになる。夫が南海子を墓参りに誘わないのは、なにか理由があるからだろうと思って遠慮していた。過去をあまり語りたがらない夫だから、一人で墓参りをしたいのだろうとばかり思っていた。南海子がそう言うと、

「べつに」

と夫はかすかに笑った。「ただ面倒くさかっただけだ」

記憶を頼りにやっと見つけた小さな墓は、周囲のものと比べて荒れた印象だった。ボランティアがいくら草むしりをしても追いつかない、打ち捨てられた墓特有のけぶりを帯びていた。

南海子と夫は手分けして枯れ草を抜き、桶の水を柄杓《ひしゃく》で墓石に注いだ。椿は「あたしも」と、やたらに水を注ぎたがった。

「お墓のなかまで水びたしになっちゃうでしょう」

南海子は椿から柄杓をもぎ取る。

「かまわないよ」

と夫は言い、ライターで指を焦がしながら線香に火を移した。「どうせから、だ」冷え冷えとした口調に、慄然《りつぜん》とすると同時になぜか哀しみに似た愛を覚えた。南海子は夫が帰ってきてからはじめて、自分から夫に身を寄せた。夫は黙って、南海子の肩を一瞬抱いた。

これが情というものなのかもしれない、と南海子は思った。

前回の墓参りではさして気にもしなかったが、墓石の側面には、夫の両親と妹の名が刻まれていた。三人とも同じ日に死んでいた。

椿を真ん中に、南海子は夫としゃがんで手を合わせた。そっと隣をうかがうと、椿はまだ目を閉じて、見よう見まねで拝んでいる。夫はとうに手を合わせるのをやめ、膝に腕を置いてしゃがんでいる。墓石から垂れた水が砂利を黒く染めるのを眺めている。留《とど》め置きたいとどんなに願っても、魂はどこかへ非情に飛び去っていく。

二月の海は荒れていた。

ひどい揺れに揉《も》まれ二等船室で一夜を過ごした南海子は、悪天候で就航が危ぶまれた船に乗ったことを後悔した。椿は吐くだけ吐くと楽になったのか、朝日が水平線に最初の光を投げかけると同時に起きだした。

かめりあ丸が二十一年ぶりに、美浜島に近い航路を取ると知ったのは、年が明けてすぐのことだった。

　土砂で埋まった港が打ち捨てられて以降、島は定期航路からはずれ、かめりあ丸の乗客は島影をごく遠くから見ることしかできなかった。近隣の島の漁師ですら、美浜島に上陸することはまずないそうだ。

　悲劇の島、死と壊滅の島として、美浜島は航路上でも記憶のなかでも、半ば封印された土地となっていた。

　ところが津波から二十年が経ったころから、美浜島と関係があったひとのあいだで、慰霊をしたいという話が持ちあがったらしい。津波の恐ろしさを忘れないためにもと、三カ月間、特別航路で運航することに決まった。

　テレビのニュースを見た南海子は、

「行ってみたい」

　と夕飯の席で夫に言った。椿の入学先も決まり、新居への引っ越しの準備をはじめたところで、台所は段ボールに占拠されていた。

　夫は美浜島と聞いてもさしたる反応を示さず、みそ汁の椀を食卓に下ろした。

「どうして」

　と夫は言った。「行くと言っても、島を歩けるわけじゃないだろう」

「船から見るだけでいいの。椿にも見せてあげたい。ねえ、椿。お船に乗って旅行してみたいよね」

「みたい！」

椿はうなずき、夫は「じゃあ、そのうち。週末にでも」と請けあった。

船内には、花束を抱えた乗客がちらほらいる。その人々は朝日とともに、静かにデッキへ上がっていった。椿にコートを着せ、マフラーを巻いてやって、南海子も揺れに苦労しながら急な階段を上った。夫がうしろから、南海子と椿の背中を手で押しあげるように支えてくれた。

冷たい風にさらされ、南海子と椿はデッキの手すりに近寄った。夫は背後に黙って立った。波は白く逆巻いていて、「すごいすごい！」と椿が興奮した声を上げた。外気に当たったおかげで少し気分がよくなった南海子は、手すりをつかみ前方を見晴るかす。昇りはじめた金色の太陽を背に、黒い島影が近づいてくる。

デッキのスピーカーのスイッチが入り、男の声が案内を読みあげはじめた。

「左手に見えますのは美浜島です。昭和六十二年五月六日深夜、美浜島は突然の津波に襲われ、島民二百七十一名のうち二百六十六名が亡くなるという痛ましい出来事が――」

船は速度を落とす。海面に次々に花が投げこまれる。色鮮やかな花びらは波に飲まれて沈んでいく。

島はすぐそばまで迫っていた。岬の突端に朽ちた灯台が見える。コンクリートの桟橋に貝殻が隙間なく付着している。島で一番高い山の頂が、朝日を受けて冬の空に薄く霧をたなびかせている。

デッキに立つすべてのひとの口から、感嘆の声が小さく上がった。南海子も思わず、

「ああ」と言った。

島はいまや、すべてを植物に覆いつくされていた。どこに人家があったのか、どこが港の中心だったのか、わからないほど海面ぎりぎりまで木が生えている。どの木も冬のさなかにつややかな葉を繁らせている。なだらかな曲線を描く緑の裾野は、えぐられたことなど一度もないかのようだった。

山のところどころに、小さな赤い点が揺れている。

「椿――」

と南海子はつぶやいた。

「なあに？」

と椿が振り仰ぐ。

「あの花の名前。あなたとおんなじ、椿」

椿は黙って、山に咲き乱れる花へ視線を戻した。揺れに足もとをすくわれることもなく、夫はデッキに立っている。

美浜島は、暴力の痕跡を内包したまま、禍々《まがまが》しいまでの生命力で海のうえに再生していた。そこで生き、そこで死に、いまもそこにつながれるひとたちの、あらゆる慟哭《どうこく》を飲みこみ、島は海中から身を起こす緑の巨人の背中のように、波間に厳然とあるのだった。

「きれいねえ」

と椿が言った。

「そうね」

南海子はしゃがみ、椿の体を抱き寄せた。「パパは、このきれいな島で生まれたのよ。ここで生まれて、私たちのもとへやってきた」

この風景を見て、夫はいまなにを思うのだろう。なにかに赦されたと感じるのか、二度と浮かびあがらぬほど深く沈めと呪《のろ》うのか。

背後の夫を振り仰いでも、その表情は逆光になっていてよく見えない。

「待っていれば必ず、それはどこかからやってくる」と黒川輔は書いた。でもたぶん、そうではないと南海子は思う。

暴力はやってくるのではなく、帰ってくるのだ。自らを生みだした場所――日常のなかへ。

なにくわぬ顔をして故郷に帰ってきたそれは、南海子のそばで息をひそめている。息をひそめて、待っている。再び首をもたげ、飲みつくし、すべてを薙《な》ぎ払うときを。
それから逃れられるものはだれもいない。
南海子は椿と身を寄せあい、遠ざかる島影を見ていた。
美浜島は白い光に包まれ、やがて水平線の彼方へ消えた。

解説——神様は切なそうに笑っていた

吉田篤弘

最初におことわりしておくと、この拙い解説文は、かならず本編をお読みいただいたあとに読んでほしい。

僕はこの小説を読み終えて、すぐに誰かと話がしたくなった。読んで、どう思ったかどう感じたか。自分も語りたかったし、誰かの感想を聞きたかった。そして、一緒に考えたかった。単行本（二〇〇八年刊）を読み終えたときもそう思ったし、今回、文庫化に際して読みなおし、なおさら強くそう思った。だから、読み終えた読者の皆さんと、この場を借りて読書会をひらくつもりで、この文章を書いてみたい。

というわけで、もし、まだお読みでなかったら、読み終えたあとに、またここでお会いしましょう。

＊

さて、読み終えた皆様、まずは声を揃《そろ》えて「まいったなぁ」と言い合いましょう。僕は最初にその言葉が口をついて出た。そこには、著者の見事な書きっぷりに対する「まいりました」というニュアンスが多分に含まれ、それにつづいて、「素晴らしく容赦がないなぁ」と、ただただ感嘆した。

いや、本当にこの小説はまったくもって容赦がない。それはつまり、この小説を書いていたときの著者が容赦なかったのか——。どうもそんな気がしてならない。この作品における著者＝しをんさんは、限りなく神様に肉迫している。

おそらく、この世で最も容赦ない作家は神様である。神様はたびたび意表をつき、伏線の回収などおかまいなしに物語を——この世を進めてゆく。神様はすべてを見ている。あらゆるものにピントを合わせ、この世のすべてを精査している。神様は人々を導くかに見せてとんでもない悲劇に追い込み、ときに、一縷《いちる》の望みも与えることなくじつに淡々としている。

ところで、作家が三人称を使って小説を書くとき、その小説が「この世」を舞台にしていたら、おのずと作家は神様の真似事をしなくてはならない。そして、世の中を熟知している作家であればあるほど、再三にわたる神様の容赦なさに嘆き悲しみ、ときには怒りさえも覚えて、「まいったなぁ」とつぶやいてきたはずである。この小説を書いていたときのしをんさんの胸の内は、そんな「まいったなぁ」の水位が最も上昇したときだったのかもしれない。そのあたり、著者に真意を訊《き》いてみたい。

いや、じつを言うと、最前より「しをんさん」などと気安く書いているのは、仕事上のかしこまったおつきあいとは別に普段着の交流をつづけてきたからで、なら、いっそのこと、この特権(?)を利用して、著者本人を交えた読書会を開いたらどうだろう。読者を代表し、直接、作者にこの作品にまつわるあれこれを訊いてみたらどうか——。

そう思いついて、さっそくそうした。著者に直接、話を訊く機会を得た。これぞ、またとない読書会である。しかし、どうして「インタビュー」ではなく「読書会」にこだわるのかと言うと、まず何より、しをんさん自身が作者でありながら読者に近い口調でこの小説を語ってくれたからである。

「信之という男は美化された記憶に執着しているだけじゃないでしょうか。美花のために——ではないと思うんです。ヤツは自分の衝動的な行為を正当化したいだけなんですよ、きっと」

「美花は美花で、信之を利用したという自覚さえないんですよ、たぶん。彼女にはそんな思惑すらないんです。違いますかね?」

断定的な言い方がきわめて少なかった。それでいて、さすが作者=神様なので、実際に書かれなかった背景や設定に話が及ぶと、まさに天上から細部に至るまでを見透かしたように解き明かしてくれた。

たとえば、なぜ、信之は美花から渡された三百万円を使わず、わざわざ自分の金を使ったのか——。

物語の展開上、ある程度の大金が必要になるのだが、それが美花からもたらされるのは自然な流れで、凡百の小説であれば、当たり前のようにこれを使うに違いない。が、作者はこれを信之に使わせなかった。

「それはたぶんですね」と、しをんさんは読者のひとりとして作品を読み解くかのように首をかしげながら言った。「美花から渡されたものは信之にとって神聖なものなんですよ。だから、使えないんじゃないでしょうか。ヤツは完全に陶酔しちゃってるんですよ。まったくどうかしてますよね」

なるほど、そういえば、美花から渡される札束は「帯もついたピン札」で、信之が銀行で下ろした金には「皺《しわ》が寄っている」とある。

この小説には、こんなふうに作者がさりげなく仕掛けた企みが随所に忍んでいる。

「でも、この小説には明快な答えはないと思います。読んでくださった皆さんに考えてほしいんです。日常の中に潜んでいる暴力について。どうしたらいいのか？　わたしもいまだに考えつづけています」

＊

『光』には、ひとつに留まらずさまざまなレベルの暴力が描かれている。暴力に順位があるかどうかわからないが、本作において、最も強大な暴力として描かれているのは間違いなく津波だろう。

この小説が『小説すばる』誌で連載を開始したのは二〇〇六年で、我々が目の当たりにした――あるいはテレビ画面を通して体験した東日本大震災による津波の、じつに五年前に書き起こされている。したがって、これは目の当たりにしたものを写しとったのではなく、すべて、著者の想像力によって紡ぎ出されたものだ。その描写が目の当たりにしたものに肉迫すればするほど、このとき作者の胸の内にあったものは何だったのかと気になってくる。二〇〇六年にこの小説の中で起きた巨大な津波は、作者のどんな思いによってひき起されたのか――。

それはひとりの人間では手に負えないとても大きな「畏れ」ではなかったかと思う。その「畏れ」は作品の細部に文字通り波及している。ひとりの人間から離れて神様にまで肉迫した筆致は、ときに意味や理由や動機を無効にし、理不尽で容赦がなく、ただ「そこにある」ものとして描いてゆく。そこにあるのだが、我々にはどうしようもない。手の打ちようがない。

それでも我々は、神様の容赦なさに、何かしら読み取れないものかと手探りつづける。

どうしてなのかと意味をもとめる。しかし、ここで注意深くならなくてはならない。

先に「最も強大な暴力」と津波を称したが、はたして本当にそうだろうか。もういちど言いたい。我々は注意深くならなくてはならない。わたしも僕もあなたも君もである。

この小説はそう言っている。決して他人事ではないのだ。

「本当におそろしいものは、私たちの中にあるのではないでしょうか」

読書会で、しをんさんはそう言った。

作中に「暴力はやってくるのではなく、帰ってくる」という印象的な言葉がある。この「帰ってくる」が「返ってくる」ではないことに注目したい。この小説は報復を主軸にしているのではないのだ。ここで言う「帰ってくる」とは、もともと自分の中にあったものということだろう。

「だれもそれからは逃れられない」

これもまた作中に響く言葉で、もっと痛烈な一節もある。

「この無情な理《ことわり》に本当はだれもが気づいている。気づかぬふりをして、まっとうに暮らしている」

耳が痛い。思わず、うなだれてしまう。

自然が引き起こした圧倒的な力より、われわれ自身の中に潜んでいる暴力、もしくは暴力への萌芽こそ、真に恐るべきものではないか。我々はそれを知りながら、気づかないふりをしている――。

一見、つながりがあるかのように描かれているが、津波という名の暴力と登場人物たちが行う暴力はまったく無関係なのである。無関係であるからこそ後者の闇の深さが際立つ。

ところが、あたかも連鎖であるかのように登場人物たちは振る舞う。彼らは愛おしくも哀れで愚かな者たちだ。ことあるごとに「連鎖」をほのめかし、自らの愚かな行為に自分なりの理由づけをして正当化しようとする。しかし、本当は理由などない。あったとしても、それは何ら説得力を持たない。理由もなく沸き起こる理不尽な暴力の恐ろしさ――神様の容赦なさはここに極まる。

我々は注意を促されている。

「自分のせいじゃない」と言い訳をする無責任。そして、「自分には関係ない」と遠巻きに眺める自覚のなさ。誰もが思い当たるだろう。そうした無責任と無自覚こそが次の暴力を生む可能性を孕《はら》んでいる。だから、神様は我々に注意を促して叱咤する。そして、叱咤にはもれなく愛情の裏打ちがある。

「本当にしょうがないヤツらですよね。でも、どうしようもなく可愛くて可愛くて」

作者は登場人物たちをそう語った。ここには詳しく書かないが、もっとあしざまに彼らを罵り、しかし、罵ったあとで、

「輔、大好きなんですよ、わたし」

と切なそうに笑っていた。神様にそっくりだった。神様は彼らを愛しながら憎んでいる。愛と憎のどちらに片寄ることもなく併せ持っている。

それを知ったら、より注意深く読まなくてはならないと背筋が伸びた。神様は容赦なく淡々としながらも、じつは我々にかすかな道筋を示しているのではないか――。

ひとつ、気になることがあった。

なぜ、美花の視点が描かれなかったのか。

この小説は視点が移り変わることで、次々と事実が明かされたり覆されたりする。似たような構造の古典的小説に芥川龍之介の『藪《やぶ》の中』があるが、『藪の中』では、関係者につづいて事件の当事者の三人が順に語ってゆく。しかし、この作品では当事者の一人である美花の視点が描かれない。代わりに描かれるのは南海子の視点で、彼女は事件にも津波にも関わりがない。ここに作者の企みがある。『藪の中』の方式を採りながらも、あえて別の人物に差し替えることで、この作品の語るべきものが津波に起因したものではないことを示している。しかも、津波の記憶とは無縁であるはずの南海子が「身の内で逆巻く大きな波を感じ」「襲いかかった大波は引き、いまは沖の方で低く鳴っている」と描写される。

もうひとつ――。

なぜ、この小説が『光』というタイトルなのか。これもまた読者に委ねられた問いのひとつかもしれない。解釈は人それぞれだろうが、人それぞれといえば、「神様」に対する解釈もまたしかりである。神様はじつのところ天上にいるのではなく、人々の中に、さまざまに違うかたちで存在している。

そこでふと、光とは神様のことではないかと思いついた。

そう思って、ここまで書いてきたこの解説文を読みなおしてみると、文中の「神様」を「光」に置き換えても何ら違和感がない。神様＝光は何もかもを平等に照らし出してさらけ出す。我々はその光から逃れられない。光なしでは生きてゆけないのだから――。

では、どう生きてゆくのか。どう光と向き合ってゆくのか。

神様に隅々まで見透かされた地上に生きる我々は、目先の楽しさや喜びを共有するだけではなく、身に覚えがあるはずの「暗い共感」によって語り合う時間を忘れてはならない。それもまた人間として生きる者同士の共有で、目を背けずに語り合い、考えつづけることによって自らを律するより他ない。それがおそらくは、我々にできる神様への唯一のささやかな抵抗になる。「暗い共感」の中から、少しでもその暗さから脱却する術を探りつづけること――。

率先するように、しをんさんはそうしたのだと思う。津波によって荒廃した島と海を前にして、どうか、人の情熱が暴力へ向かうのではなく、もっと別のものに向かうようにと願った。そのためには、人の情熱が生み出す素晴らしいものを、この寂寞《せきばく》とした海に浮上させるしかない。

そして、三浦しをんは新しい小説を書き始めた。やがて、その作品は見事なまでに多くの読者のもとに届けられる。作者の祈るような思いが託されたその作品が、『舟を編む』というタイトルであったのは、はたして偶然だったろうか。

（よしだ・あつひろ　作家）

初出誌「小説すばる」
二〇〇六年十一月号〜二〇〇七年七月号
二〇〇七年九月号〜十二月号

本書は二〇〇八年十一月、集英社より刊行されました。

S 集英社文庫

光《ひかり》

2013年10月25日　第1刷　　定価はカバーに表示してあります。

著　者　三浦《みうら》しをん

発行者　加藤　潤

発行所　株式会社　集英社
東京都千代田区一ツ橋2-5-10　〒101-8050
電話　03-3230-6095（編集部）
03-3230-6393（販売部）
03-3230-6080（読者係）

印　刷　凸版印刷株式会社

製　本　凸版印刷株式会社

フォーマットデザイン　アリヤマデザインストア　　マークデザイン　居山浩二

ISBN978-4-08-745121-4 C0193